Tambu 1

Deutsch für Kinder

von
Siegfried Büttner
Gabriele Kopp
Josef Alberti

Max Hueber Verlag

Bildquellen
Werner Bönzli, Reichertshausen: *Seite 82*
Norbert Döhrn, Bad Breisig: *Seite 78 rechts*
Franz Götz, Ismaning: *Seite 86 Mitte links, Seite 88 unten rechts*
IFA-Bilderteam (Jakob): *Seite 88 oben rechts*
IFA-Bilderteam (Schösser): *Seite 86 oben links*
Georg Mößbauer, Ismaning: *Seite 78, 81, 86 und 88*

3. 2. 1. | Die letzten Ziffern
2000 1999 98 97 96 | bezeichnen Zahl und Jahr des Druckes.
Alle Drucke dieser Auflage können, da unverändert,
nebeneinander benutzt werden.
1. Auflage

Zeichnungen: Bettina Bexte, Bremen
Lieder: Walter Brouwers, Aachen, und die Autoren
Lithographie: Studio 83, Verona (Italien)
Druck: Ludwig Auer, Donauwörth
Printed in Germany
ISBN 3-19-001577-5

Inhaltsverzeichnis

4 O je, o je, es tut so weh!

5 Verkleiden

Ich und du

1. Lied: Hallo! Guten Morgen!

Hal - lo, Su - si! Gu - ten Mor - gen! Komm, wir
spie - len! Komm, komm, komm! La - la - la - la - la - la - la
la. Komm, wir spie - len! Komm, komm, komm!

Hallo, Peter! Guten Morgen!
Komm, wir spielen! Komm, komm, komm!
La-la-la-la-la-la-la-la.
Komm, wir spielen! Komm, komm, komm!

Hallo, Kinder! Guten Morgen!
Los, wir spielen! Eins, zwei, drei!
La-la-la-la-la-la-la-la.
Los, wir spielen! Eins, zwei, drei!

2. Komm, wir spielen!

Komm, wir spielen!

Was denn?

Fußball?

Ach nein.

Verstecken?

Ach nein.

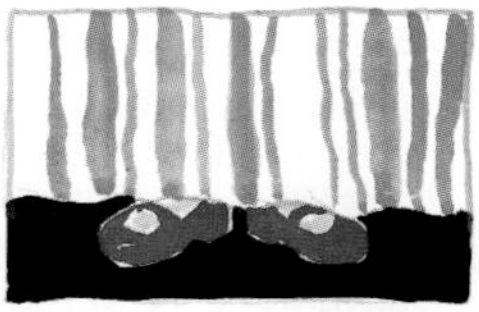

Blindekuh?

Ach nein.

Würfeln?

Ach nein.

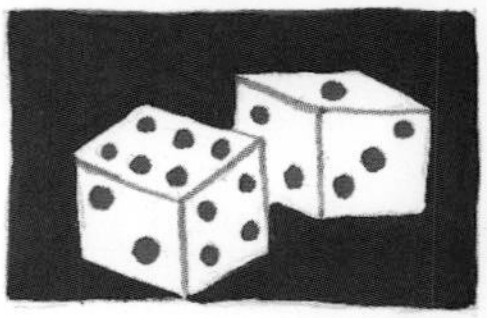

Fangen?

Au ja.

Spielt die Szene auch so:

Indianer

Domino

Lego

Karten

Memory

3. *Hören*

Hör zu und mach mit.

4. *Nachsprechen*

a) Hör zu und sprich genau nach.

b) Hör zu, sprich nach und klatsch mit.

5. *Zungenbrecher*

ise bise
sise bise
schise bise
zip

ose bose
sose bose
schose bose
zop

üse büse
süse büse
schüse büse
züp

Kannst du das auch so:	ase base …
Oder so:	öse böse …
Oder so:	äse bäse …
Und auch so:	?

6. *Ratespiel: Pantomime*

Zwei Kinder kommen vor die Klasse.

Wir spielen …
Ratet mal!
Indianer.
Ja!

7. Wir basteln ein Memory

Malt die Bilder von Nummer 2 auf Karten. Malt jedes Bild zweimal.

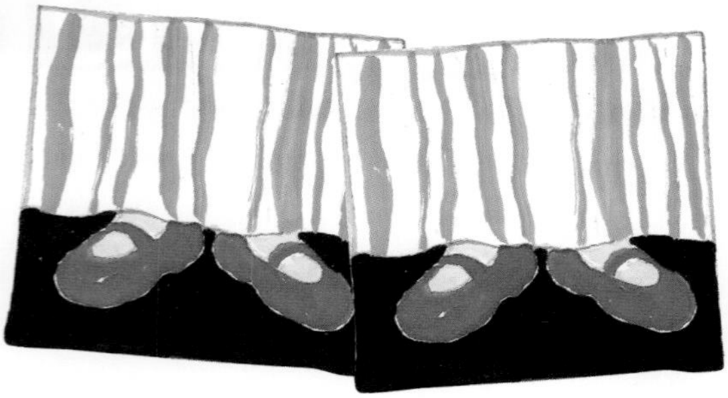

8. Wir spielen Memory

Indianer und
Verstecken. Nein!

Blindekuh und
Blindekuh. Ja!

9. Partnersuchspiel

So geht das Spiel:

Jedes Kind hat eine Karte aus dem Memory-Spiel. Alle Kinder gehen durch die Klasse, sprechen leise das Wort und suchen das Kind mit der gleichen Karte.

Verstecken
Lego
Verstecken
Lego

1. ABC – Lied

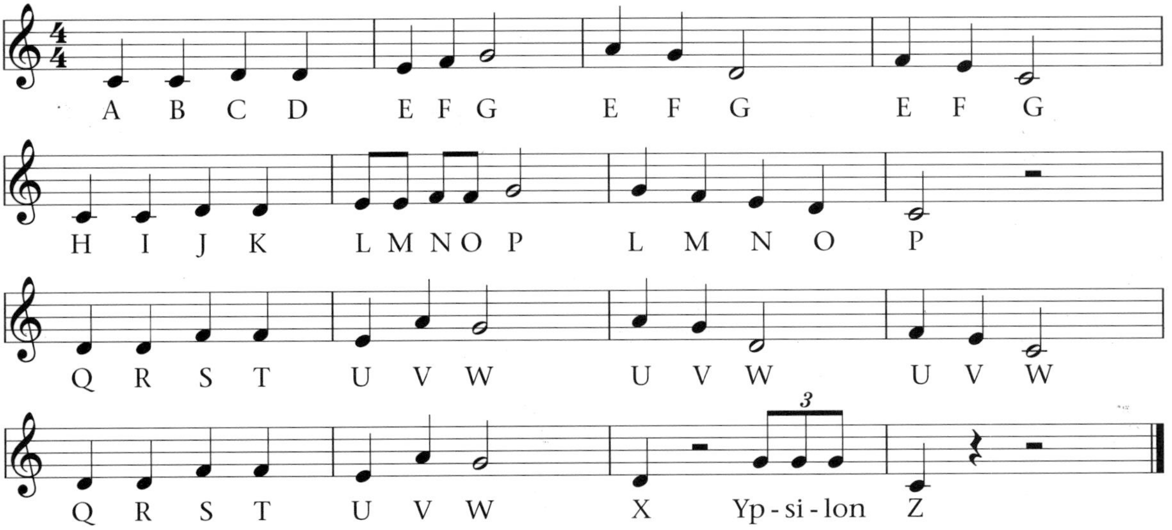
A B C D E F G E F G E F G
H I J K L M N O P L M N O P
Q R S T U V W U V W U V W
Q R S T U V W X Yp - si - lon Z

2. Eins, zwei, drei, und du bist frei!

Eins, zwei, drei, und du bist frei!
Eins, zwei, drei, und du bist frei!
Eins, zwei, drei, und du bist …
Hallo!
Wer bist du denn?
Ich bin … Ratet mal!

3. *Die Buchstabenspinne*

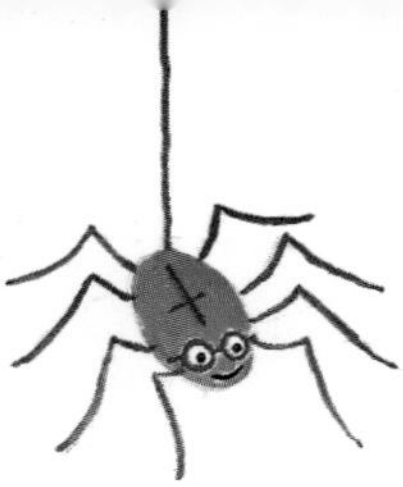

Wer bin ich?

Ratet mal! _ _ _ _ _ _ _

b?	Nein!	_ _ _ _ _ _ _	
a?	Ja!	_ a _ _ _ _ _	
h?	Nein!	_ a _ _ _ _ _	
l?	Ja!	_ a _ _ _ l _	
x?	Nein!	_ a _ _ _ l _	
g?	Nein!	_ a _ _ _ l _	
e?	Nein!	_ a _ _ _ l _	
s?	Ja!	_ a s s _ l _	
d?	Nein!	_ a s s _ l _	
t?	Ja!	T a s s _ l _	

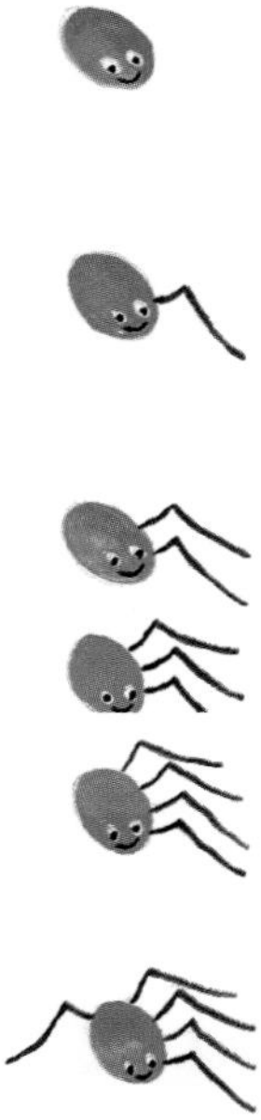

Ich weiß! Tassilo!
Richtig!

4. *Blindekuh*

Wer bist du denn?

Ich bin SIMSALABIM.

Ich weiß. Du bist Claudia.

Ja!

Du bist dran.

5. Hörgeschichte

a) Hör zu und schau die Bilder an.

A

B

C

D

b) Hör noch einmal zu. Ordne die Bilder.
Schreib die Buchstaben auf den Block.

c) Was rufen die Kinder?
Ti–Ta–Tassilo …

6. Ratespiel: Wer ist das?

Wir malen.

Das bin ich.

Wer ist das?

Wer ist das?

Wer ist das?
Ratet mal.

Tobias?

Nein, falsch!

Ist das Martin?

Ja, richtig!

Wer ist das?

Cornelia?

Nein, falsch!

Ist das Doris?

Nein, nein!

Ich weiß.
Das ist Tassilo.

Ja, richtig!

1. Wir basteln einen Würfel

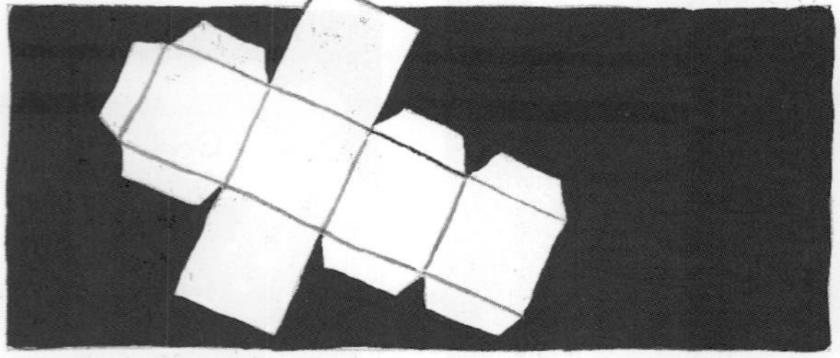

zeichnen

schneiden

Klebi

kleben

Punkte malen

2. Wir spielen Würfeln

Komm, wir spielen Würfeln!

Au ja.

Also los!

Ich habe drei.
Du bist dran.

Ich habe fünf.
Gewonnen!

3. Abzählreim

1, 2, 3 und was kommt dann?
4, 5, 6 und du bist dran.

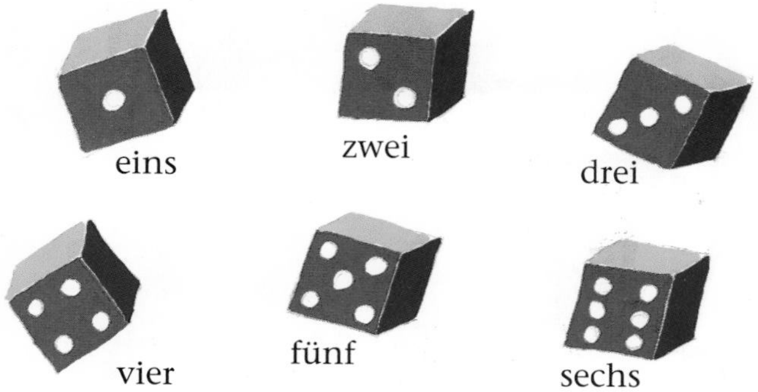
eins
zwei
drei
vier
fünf
sechs

4. Nachsprechen

Hör zu und sprich genau nach.

5. *Darf ich mitspielen?*

a) Was macht ihr denn da?

Wir spielen Würfeln.

Darf ich mitspielen?

Ja, klar.

Wer ist dran?

Du.

b) Was macht ihr denn da?

Wir spielen.

Was denn?

Verstecken.

Darf ich mitspielen?

...

Ebenso mit:
Domino, Lego, Karten, ...

Lied: Guten Morgen … Gute Nacht!

Gu - ten Mor - gen. Hal - lo, Kin - der! Gu - ten
Mor - gen, Frau Bäcker. Hal - lo, Kin - der! Gu - ten
Mor - gen. La - la - la - la - la - la - la.

2. Guten Tag. Hallo, Kinder!
   Guten Tag, Frau / Herr …
   Hallo, Kinder! Guten Tag.
   La - la - la - la - la - la - la.

3. Guten Abend. Hallo, Kinder!
   Guten Abend, Frau / Herr …
   …

4. Auf Wiedersehen. Tschüs, Kinder!
   Auf Wiedersehen, Frau / Herr …
   Tschüs, Kinder. Auf Wiedersehen.
   La - la - la - la - la - la - la.

5. Gute Nacht. Tschüs, Kinder!
   Gute Nacht, …
   …

Komm, wir gehen nach Hause!

1. Hallo, Mami!

Hallo, Mami! Das ist Tassilo.

Guten Tag, Frau äh … .

Bögner. Wer bist du?

Tassilo.

Tassilo ist mein Freund.

Aha! Na, kommt mal rein!

2. Lied

1 - 2 - 3 und 4 - 5 - 6. Wo ist denn dei - ne Mut - ter? Sie
ist nicht hier. Sie ist nicht da. Ach, da ist sie ja!

3. Na gut!

 Komm, wir spielen Lego!

 Ach nein!

 Was möchtest du denn spielen?

 Würfeln.

 Na gut!

4. Wir spielen Würfeln

2, 3 oder 4 Kinder spielen zusammen.

Ich habe fünf.
Ich habe sechs.
Ich habe gewonnen. Ich darf zeichnen.

So geht es weiter: 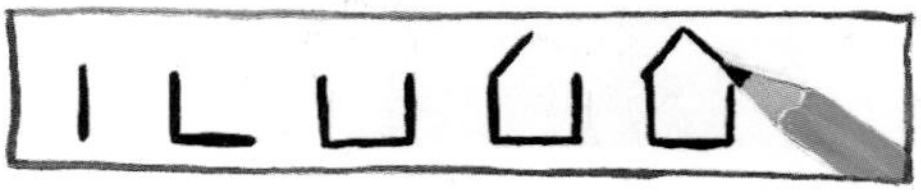

1. Lied

7 – 8 – 9 und 10 – 11 – 12.
Wo ist denn deine Schwester?
Sie ist nicht hier.
Sie ist nicht da.
Ach, da ist sie ja!

2. Das ist meine Schwester

Hallo, ihr zwei!

Tassilo, das ist meine Schwester Ulrike.

Möchtest du mitspielen?

Was denn?

Würfeln.

Au ja, ich möchte Bingo spielen.

Bingo mit Würfeln?

3. Wir spielen Bingo mit zwei Würfeln

Alle Kinder machen ein Kreuz auf ein Blatt und schreiben vier Zahlen von 2 bis 12 hinein. Zum Beispiel so

7	3
4	11

Einer würfelt, zum Beispiel 11. Hast du 11? Dann darfst du die 11 durchstreichen.

7	3
4	~~11~~

Wer alle Zahlen durchgestrichen hat, ruft „Bingo!“.

Elf.
Ich habe elf.
6 | 10
8 | 4
2 | 12
3 | 5
7 | 3
4 | 11

sieben acht neun zehn elf zwölf

1. Lied

13 – 14 – 15 – 16.
Wo ist denn dein Bruder?
Er ist nicht hier.
Er ist nicht da.
Ach, da ist er ja!

2. Mein Bruder ist doof

Was macht ihr denn da?

Wir spielen Bingo.

Möchtest du mitspielen?

Mitspielen? Ich?
Nein, ich habe keine Lust.
Bingo! So ein Quatsch!

Wer ist das denn?

Mein Bruder.

Er heißt Klaus.

Und er ist doof.

Wie alt ist er denn?

14.

Aha! Los, weiter! Wer ist dran?

3. Nachsprechen

Hör zu und sprich genau nach.

1. Lied

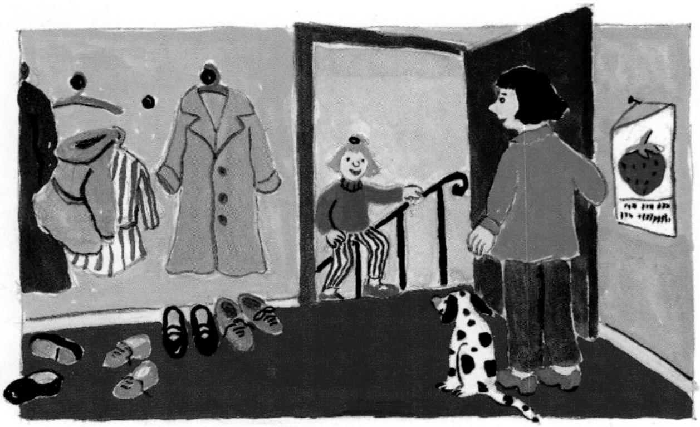

17 – 18 – 19 – 20.
Wo ist denn deine Freundin?
Sie ist nicht hier.
Sie ist nicht da.
Ach, da ist sie ja!

2. Hörgeschichte

a) Hör zu und schau das Bild an.

b) Nun hör die Sätze.
Was ist richtig? Was ist falsch?
Mach die Sätze richtig.

3. Tassilos Memory

a) Macht ein Zahlenmemory.
Schreibt die Zahlen von 1 – 20.

b) Spielt Memory.

eins
1

13	dreizehn
14	vierzehn
15	fünfzehn
16	sechzehn
17	siebzehn
18	achtzehn
19	neunzehn
20	zwanzig

1. Lied

20 – 19 – 18 – 17.
Wo ist denn dein Vater?
Er ist nicht hier.
Er ist nicht da.
Ach, da ist er ja!

2. Papi ist da!

 Hallo, Kinder!

 Hallo, Papi! Das ist Tassilo.

 Was macht ihr denn da?

 Wir spielen Sitzboogie.

 Darf ich mitspielen?

 Ja, prima!

3. Sitzboogie

Alle Kinder sitzen im Kreis.
Sie zählen und machen mit.

Eins, zwei
drei, vier

5, 6

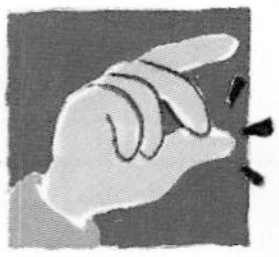
7, 8

9, 10

11, 12

?
13, 14

?
15, 16

?
17, 18

?
19, 20

1. *Lesegeschichte: Tassilos Familie*

ZIRKUS
№8

Tassilo: Schau mal!
Das ist meine Familie.
Susi: Was?
Tassilo: Hier. Das ist mein Vater.
Susi: Oh!
Tassilo: Ja, er ist Clown.
Er heißt Pipo.

Susi: Und wer ist das?
Tassilo: Meine Mutter.

Susi: Und das ist wohl
dein Bruder.
Tassilo: Nein, das ist meine
Schwester.

Susi: Was?
Tassilo: Ja, sie heißt Claudia.
Susi: Clown Claudia?
Tassilo: Ja, und?
Das hier ist mein Bruder.

Susi: Wie alt ist er denn?
Tassilo: 20.
Susi: Und wie heißt er?
Tassilo: Helmut.

Susi: Und wer ist das?
Tassilo: Das bin ich.

2. *Wir spielen Stabfigurentheater*

a) Bastelt Stabfiguren.
Malt in Gruppen Tassilos Familie auf Karton und klebt einen Holzstock hinten fest.
Bastle auch eine Stabfigur von dir selbst.

b) Spielt die Geschichte „Tassilos Familie" mit den Stabfiguren.

c) Hört alle Lieder aus der Lektion 2 und spielt Stabfigurentheater.

Schule, Schule, Schule!

1. Hören

Hör zu und mach mit.
Geh mit zwei Fingern auf deinem Bild.
Ein Kind geht im Klassenzimmer herum.

Tafel
Waschbecken
Fenster
Pult
Schrank
Tür
Stuhl
Tisch
Papierkorb

2. Schreiben

Schreibt Wortkarten. Hängt die Wortkarten im Klassenzimmer auf.

1. Was möchtest du denn?

Möchtest du zeichnen?

Nein.

Schreiben?

Nein.

Möchtest du rechnen?

Nein!

Was möchtest du denn?

Schlafen!

lesen

Hall
schreiben

turnen

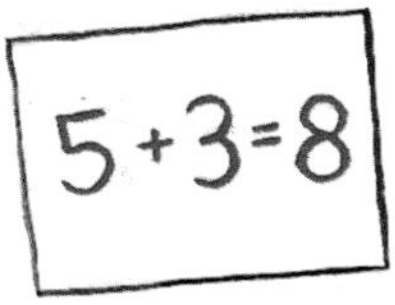
5+3=8
rechnen

zeichnen

schlafen

singen

tanzen

spielen

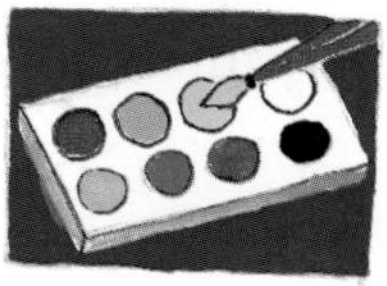
malen

Klebi
basteln

2. Hören

Hör zu und mach mit.

3. Nachsprechen

Hör zu und sprich genau nach.

4. Ratespiel mit Bildkarten

a) Malt die Bilder von Nummer 1 auf Karten.

b) So geht das Ratespiel: Ein Kind nimmt eine Karte.
Die anderen dürfen das Bild nicht sehen.

Ich möchte SIMSALABIM.
Ratet mal!

Möchtest du singen?

Nein.

Möchtest du lesen?

Ja, richtig.
Du bist dran.

5. Lied: Was möchtest du denn machen?

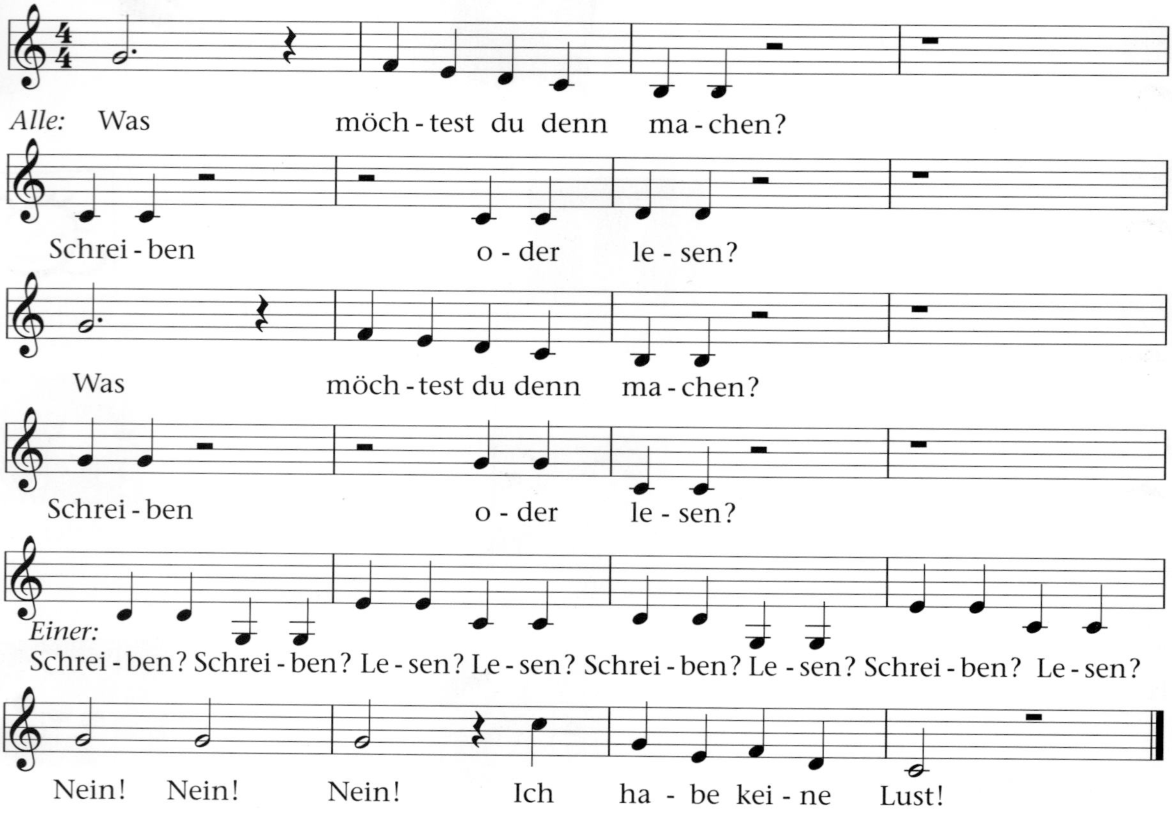
Alle: Was möch-test du denn ma-chen?
Schrei-ben o-der le-sen?
Was möch-test du denn ma-chen?
Schrei-ben o-der le-sen?
Einer:
Schrei-ben? Schrei-ben? Le-sen? Le-sen? Schrei-ben? Le-sen? Schrei-ben? Le-sen?
Nein! Nein! Nein! Ich ha-be kei-ne Lust!

Alle: Was möchtest du denn machen?
Malen oder rechnen?
Was möchtest du denn machen?
Malen oder rechnen?
Einer: Malen? Malen? Rechnen? Rechnen?
Malen? Rechnen? Malen? Rechnen?
Ja! Ja! Ja! Malen macht mir Spaß!

Alle: Was möchtest du denn machen?
Singen oder tanzen?
...

6. Wir basteln Fingerpuppen

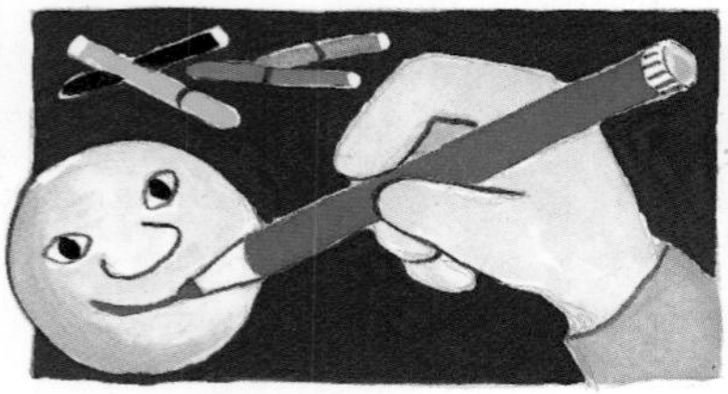
Gesicht auf eine Kugel aufmalen

Klebi
Haare aufkleben

Loch machen und auf den Finger stecken

7. He, was ist denn los?

Klaus ist doof!

Hallo!

Hallo.

He, was ist denn los?

Ach nichts.

Komm, wir malen!

Ach nein. Ich habe keine Lust.

Möchtest du lesen?

Lesen? Ach nein.

Möchtest du tanzen?

Tanzen? So ein Quatsch.

Möchtest du spielen?

Was denn?

Fußball?

Na, gut.

a) Ebenso mit: turnen, zeichnen, …
Memory spielen, würfeln, …

b) Spielt die Geschichte mit Fingerpuppen.

8. Abzählreim

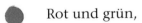

Rot und grün, … und …
gelb und blau, … und …
schwarz und weiß, … und …
braun und grau, … und …
Mann und Frau, … und …
Frau und Mann, … und …
und du bist dran.

Was möchtest du denn machen?
Ich möchte …
Au ja, wir …
und du bist dran.

1. *Immer wieder Schule*

Bleistift und Spitzer
Schule, Schule

Malkasten, Pinsel
Schule, Schule

Farbstift, Radiergummi
Schule, Schule

Block und Füller
Schule, Schule

Buch, Heft und Lineal
Schule, Schule

Federmäppchen, Turnzeug
Schule, Schule

Schultasche, Schere
Schule, Schule

1+1=

Tafel und Kreide
Schule, Schule
Schule, Schule
immer wieder Schule

2. *Hören*

Hör zu und zeig mit.

3. *Nachsprechen*

a) Hör zu und sprich genau nach.
b) Hör zu, sprich nach und klatsch mit.

4. Schulsachen

Bleistift
Block
Farbstift
Spitzer
Füller
Radiergummi
Pinsel
Malkasten
Lineal
Heft
Turnzeug
Buch
Federmäppchen
Schultasche
Schere
Kreide
Tafel
1+1=

Ich möchte malen.
Gib mir bitte (den) Pinsel.
Hier, bitte.
Danke.

Ich möchte lesen.
Gib mir bitte (das) Buch.

Hier, bitte.

…

Ich möchte schreiben.
Gib mir bitte (die) Kreide.

…

Danke.

Sprich auch so:

Ich möchte malen.
Gib mir bitte (den) Malkasten
und (den) Pinsel.

Hier, bitte.

…

Und so:

Ich möchte singen.
Gib mir bitte (den) Spitzer
und (die) Kreide.

So ein Quatsch!

1. Spiel: Blau, grün oder rot?

Nimm das Heft.
Blau, grün oder rot?

Grün.

Richtig.

2. Das Farbenwürfelspiel

a) Bastelt Farbenwürfel.

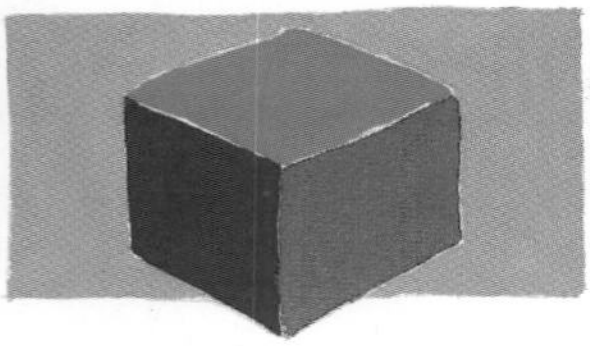

Malt zwei Seiten blau,
zwei Seiten grün
und zwei Seiten rot.

b) So geht das Spiel:

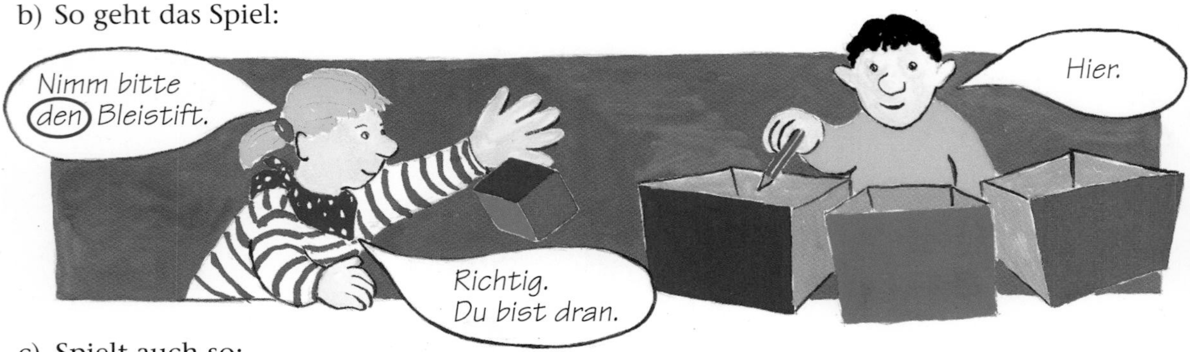
Nimm bitte den Bleistift.
Hier.
Richtig. Du bist dran.

c) Spielt auch so:

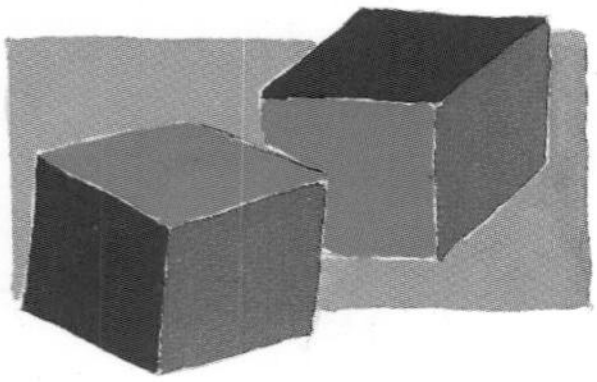

Nimm bitte
den … und das …

d) Und auch so:

Ich möchte lesen.
Gib mir bitte den Spitzer
und die Kreide.

So ein Quatsch!

Wer macht den schönsten Quatsch?

3. *Ratespiel*

Ich habe den SIMSALABIM.
Ratet mal!

Hast du den Bleistift?

Nein.

Hast du den Pinsel?

Nein.

Hast du die Kreide?

Nein, ich habe den SIMSALABIM.

Ach ja.
Hast du den Spitzer?

Ja, richtig.
Du bist dran.

4. Rasterspiel

a) Malt Bildkarten und macht auch Punkte (blau, grün, rot).

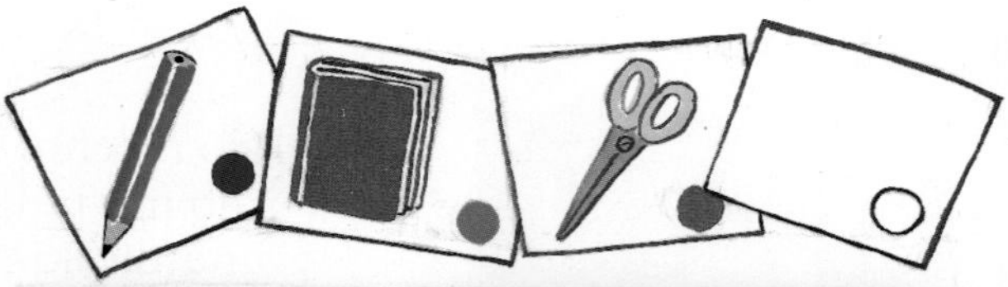

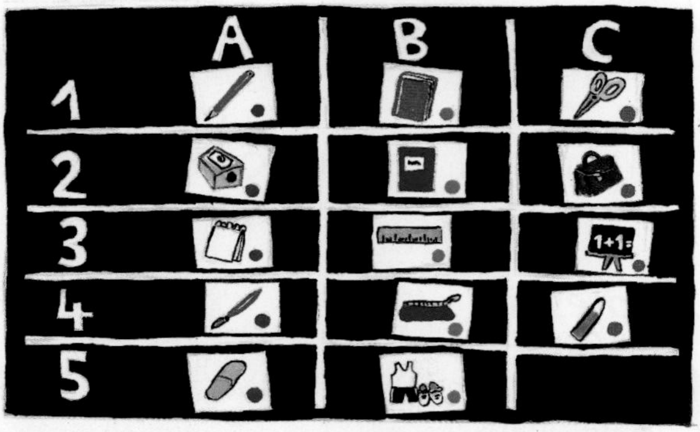
A
B
C
1
2
3
4
5
1+1=

b) So geht das Spiel:

Hängt die Bildkarten so an die Tafel. Tafel verdecken. Ein Kind nimmt eine Karte weg.

Ich habe A 5.

Hast du den Spitzer?

Nein.

Hast du den Radiergummi?

Ja, richtig.
Du bist dran.

5. Partnersuchspiel

a) Nimm die Bildkarten aus dem Rasterspiel.

Schreib auch Wortkarten:

Bleistift

b) So geht das Spiel:
Jedes Kind hat eine Karte.
Alle Kinder gehen durch die Klasse, sprechen leise das Wort und suchen das Kind mit der anderen Karte.

Sprich so: Ich habe den Bleistift. Ich habe den Bleistift …

c) Spielt auch Bild-Wort-Memory.

1. Lied: Oh, wie schön ist Schule!

Buch und Blei - stift, Fül - ler, Pin - sel,
Schu - le, Schu - le, Schu - le!
Le - sen, schrei - ben, rech - nen, ma - len.
Oh, wie schön ist Schu - le!
Le - sen, schrei - ben, rech - nen, ma - len.
Tra - la - la - la - la - la.

Schere, Heft, Lineal und Turnzeug,
Schule, Schule, Schule!
Basteln, singen, zeichnen, turnen.
Oh, wie schön ist Schule!
Basteln, singen, zeichnen, turnen.
Tra - la - la - la - la - la.

Tra - la - la - la - la - la - la - la,
Schule, Schule, Schule!
Malen, spielen, tanzen, schlafen.
Oh, wie schön ist Schule!
Malen, spielen, tanzen, schlafen.
Tra - la - la - la - la - la.

2. Hörgeschichten

a) Hör zu. Was ist richtig?
Was ist falsch? Mach die Sätze richtig.

b) Schau das Bild an.
Zu welcher Geschichte paßt das Bild?

3. Wer hat den Füller?

Ich möchte schreiben.
Wer hat den Füller?

Hihi!

Pepe hat den Füller.

Wer?

Hihi.

Ach, du!
Gib mir sofort den Füller!

4. *Lesespiel: Was paßt?*

Ich möchte malen.	Hier hast du den Pinsel.	Hast du den Bleistift?	Ja, ich habe den Bleistift.
Möchtest du den Block?	Nein, ich möchte das Heft.	Möchtest du lesen?	Ja, gib mir bitte das Buch!
Wer hat die Schere?	Tassilo hat die Schere.	Gib mir bitte die Kreide.	Die Kreide? Hier bitte.

a) Schreibt Karten und schneidet sie mit der Schere durch.
So können die Sätze anfangen:

Ich möchte …	Hier hast du …
Möchtest du …?	Nein, ich möchte …
Wer hat …?	(Name) hat …
Hast du …?	Ja, ich habe …
Möchtest du …?	Ja, gib mir bitte …
Gib mir bitte …	…? Hier …

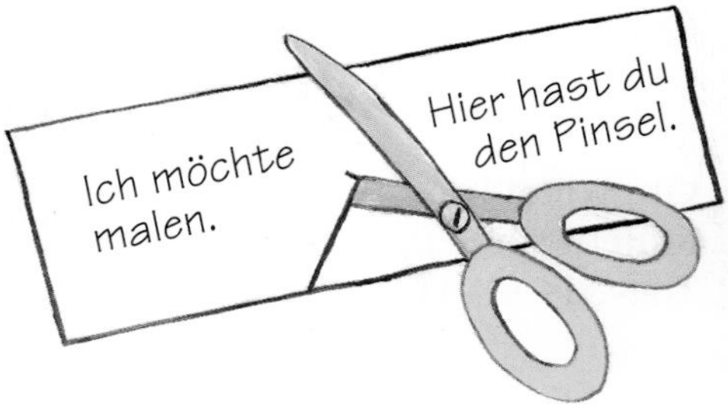
Ich möchte malen.
Hier hast du den Pinsel.

b) So geht das Spiel:
Verteilt die Kartenstücke in zwei Gruppen. Was paßt zusammen?

Ich möchte malen.
Hier hast du den Pinsel.
Ich möchte malen.
Hier hast du den Pinsel.

5. Lesegeschichte: Hilfe!!!

Junge:	Was ist denn hier los? Bleistift, komm her! Ich möchte schreiben.
Bleistift:	Na und?
Junge:	Komm sofort her!
Bleistift:	Nein, ich möchte fernsehen.
Junge:	Fernsehen? Du? So ein Quatsch.
Junge:	Füller!
Füller:	Ja?
Junge:	Möchtest du schreiben?
Füller:	Schreiben? Nein, ich habe keine Lust. Ich möchte fernsehen.
Junge:	Aha!
Junge:	Pinsel! Wo bist du?
Pinsel:	Hier bin ich.
Junge:	Möchtest du malen?
Pinsel:	Nein, ich möchte fernsehen.
Junge:	Was? Du auch? O nein!
Junge:	Farbstift! Lineal!
Farbstift und Lineal:	Ja?
Junge:	Was macht ihr denn da?
Farbstift und Lineal:	Fernsehen! Komm doch her!
Junge:	Hilfe!

Wie geht die Geschichte weiter?

O je, o je, es tut so weh!

1. Mein Kopf macht so und so

mein Gesicht
meine Nase
mein Auge
mein Ohr
mein Zahn
meine Brust
mein Bauch
mein Bein
mein Fuß
mein Zeh
mein Kopf
mein Haar
mein Mund
mein Hals
mein Arm
mein Rücken
meine Hand
mein Finger
mein Po

Mein Kopf macht so und so, und so und so und so.
Meine Hand macht so und so und so. Meine
Hand macht so und so und so. Mein Kopf macht so und
so und so. Meine Hand macht so und so.

Mein Fuß macht so und so,
und so und so und so.
Mein Finger macht so und so und so.
Mein Finger macht so und so und so.
Mein Fuß macht so und so und so.
Mein Finger macht so und so.

Mein Bein macht …

2. Hören

a) Hör zu und zeig mit. Vorsicht! Falle!

b) Schau das Bild von Nummer 1 an.
Hör zu und zeig auf dem Bild mit.

3. Nachsprechen

a) Hör zu und sprich genau nach.

b) Hör zu, zeig auf die Wörter und sprich nach.

mein Kopf

mein Bauch

mein Rücken

mein Finger

meine Brust

meine Hand

mein Po

mein Fuß

mein Auge

meine Nase

mein Hals

mein Zahn

mein Gesicht

mein Haar

mein Ohr

mein Bein

mein Arm

mein Mund

mein Zeh

Vorsicht! Falle!

Du hörst *mein Bauch* →

mein Bauch.

Du hörst *mein Buch* →

4. Schnipp-Schnapp-Boogie

Alle Kinder sitzen im Kreis. Ein Kind fängt an.

Schnipp.
Schnapp.

Schnippen und sprechen.

Mein Bauch.
Mein Kopf.

Zeigen und sprechen

1. Kind: *Schnipp - Schnapp. Mein Bauch. Mein Kopf.*
2. Kind: *Schnipp - Schnapp. Mein Kopf, Meine Hand.*
3. Kind: *Schnipp - Schnapp. Meine Hand. …*

1. *Was ist denn los?*

Au! Au! Au!

Was ist denn los?

Au! Au!
Mein Fuß tut so weh!

Oh!

mein Bauch

meine Hand

mein Bein

mein Finger

mein Ohr

mein Arm

meine Nase

mein Kopf

mein Zahn

Ebenso mit den Wörtern in den Kästchen.

2. *Ein Reim*

O je, o je,
mein Zahn tut so weh.
Juchhe, juchhei!
Jetzt ist es vorbei!

3. *Blindekuh*

Mein Kopf tut weh.

Ich weiß. Du bist Maria.

Richtig.

Du bist dran.

4. Partnersuchspiel

a) Immer zwei Kinder schreiben die gleichen Sätze auf Kärtchen:

Mein Kopf tut weh. | Mein Kopf tut weh. | Mein Fuß tut weh. | Mein Fuß tut weh.

b) So geht das Spiel:
Die Karten einsammeln, mischen und austeilen.
Jedes Kind hat eine Karte. Alle Kinder gehen durch die Klasse, sprechen leise den Satz und suchen das Kind mit dem gleichen Satz.

5. Kommst du?

Hallo, Klaus! Hier ist Peter.

Hallo!

Du, wir spielen heute Tennis. Kommst du?

Nein, ich kann nicht.

Warum denn nicht?

Mein Bein tut so weh. Ich bleibe heute zu Hause.

Schade.

Ebenso mit

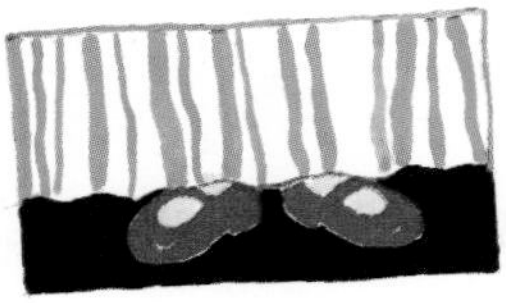

Fuß, Bauch, Kopf, ...

Oder mit Nase, Haar, ...

Wer macht den schönsten Quatsch?

6. Zungenbrecher

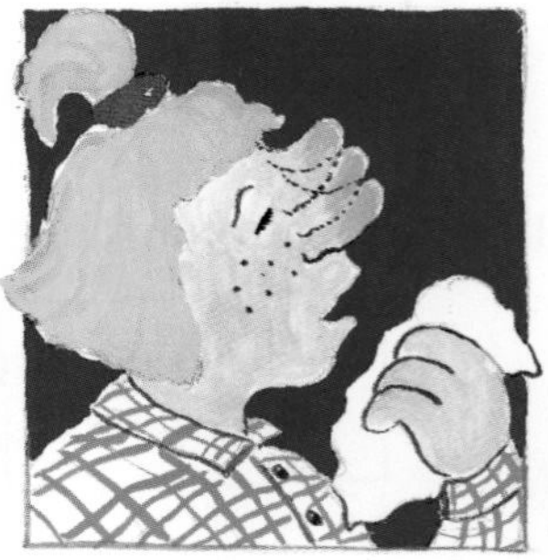

Noras Nase
niest siebenmal.

Zwei Hände, zehn Finger,
zwei Füße, zehn Zehen.

Zehn Zahnärzte ziehen zehn Zähne.

7. Lied: O je, o je!

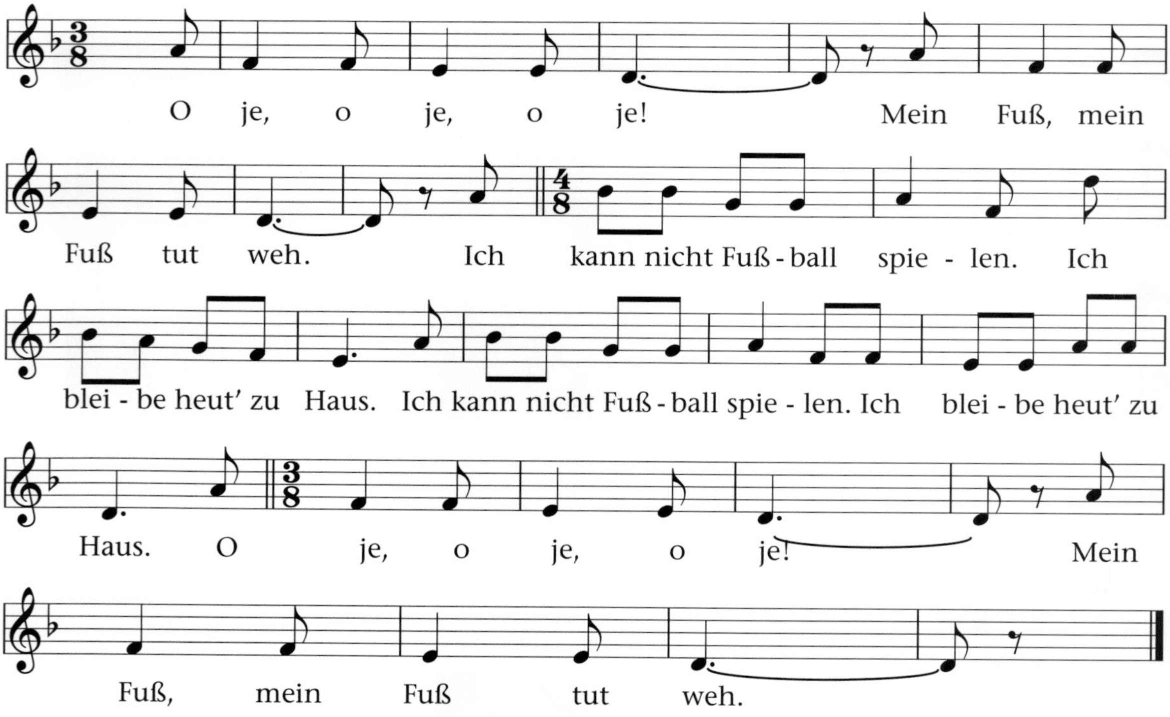
O je, o je, o je! Mein Fuß, mein
Fuß tut weh. Ich kann nicht Fuß - ball spie - len. Ich
blei - be heut' zu Haus. Ich kann nicht Fuß - ball spie - len. Ich blei - be heut' zu
Haus. O je, o je, o je! Mein
Fuß, mein Fuß tut weh.

O je, o je, o je!
Meine Hand, meine Hand tut weh.
Ich kann nicht Tennis spielen.
Ich bleibe …

O je, o je, o je!
Meine Nase tut so weh.
Ich kann nicht Fangen spielen.
Ich bleibe …

1. In der Schule

Herr Müller! Herr Müller!

Ja, Peter?

Sabine ist krank.

Was ist denn los, Sabine?

…

Tut dein Kopf weh?

Nein.

Tut dein Bauch weh?

Nein.

Was hast du denn?

Mein Finger!
Mein Finger tut so weh.
Ich kann nicht schreiben.

Ach, Sabine!

2. Hören

Hör zu und mach mit.

3. Nachsprechen

Hör zu und sprich genau nach.

4. Ratespiel

Au! Au!

Was ist denn los?

Meine SIMSALABIM tut weh.

Tut deine Hand weh?

Nein.

Tut deine ... ?

...

5. Wer sagt das?

a) Lies still, was die Kinder sagen.

Mein Kopf tut so weh.
Mein Arm tut so weh.
Mein Fuß tut weh.
Mein Hals tut so weh.
Susi
Peter
Sarah
Josef
Ich kann heute nicht rechnen.
Ich kann heute nicht singen.
Ich kann heute nicht turnen.
Ich kann heute nicht Fußball spielen.

b) Hör zu.

c) Hör noch einmal jede Geschichte einzeln.
Wer sagt das? Was sagt er/sie? Lies laut.

d) Mal die Kinder und schreib auf: *Mein Arm tut so weh. Ich kann ...*

6. Spiel: Ich kann nicht ...!

a) Schreibt Sätze auf Karten:

Ich kann nicht lesen.

Ich kann nicht singen.

Ebenso mit: rechnen, turnen, Fußball spielen, schlafen, tanzen, Verstecken spielen, ...

b) So geht das Spiel:

Karten mischen und neben das Spiel legen.Du würfelst. Wenn du auf ein Feld mit einem Wort kommst, nimmst du eine Karte.

Beispiel: Du kommst auf das Feld **Fuß**.

Du ziehst die Karte

Ich kann nicht lesen.

Du sagst: *Mein Fuß tut weh.*
Ich kann nicht lesen.
Das paßt nicht.
Der nächste ist dran.

Du kommst auf das Feld **Hals**.

Du ziehst die Karte

Ich kann nicht singen.

Du sagst: *Mein Hals tut weh.*
Ich kann nicht singen.
Das paßt. Du darfst noch mal würfeln. Die Karte kommt wieder unter die anderen Karten.

Wer ist als erster im Ziel?

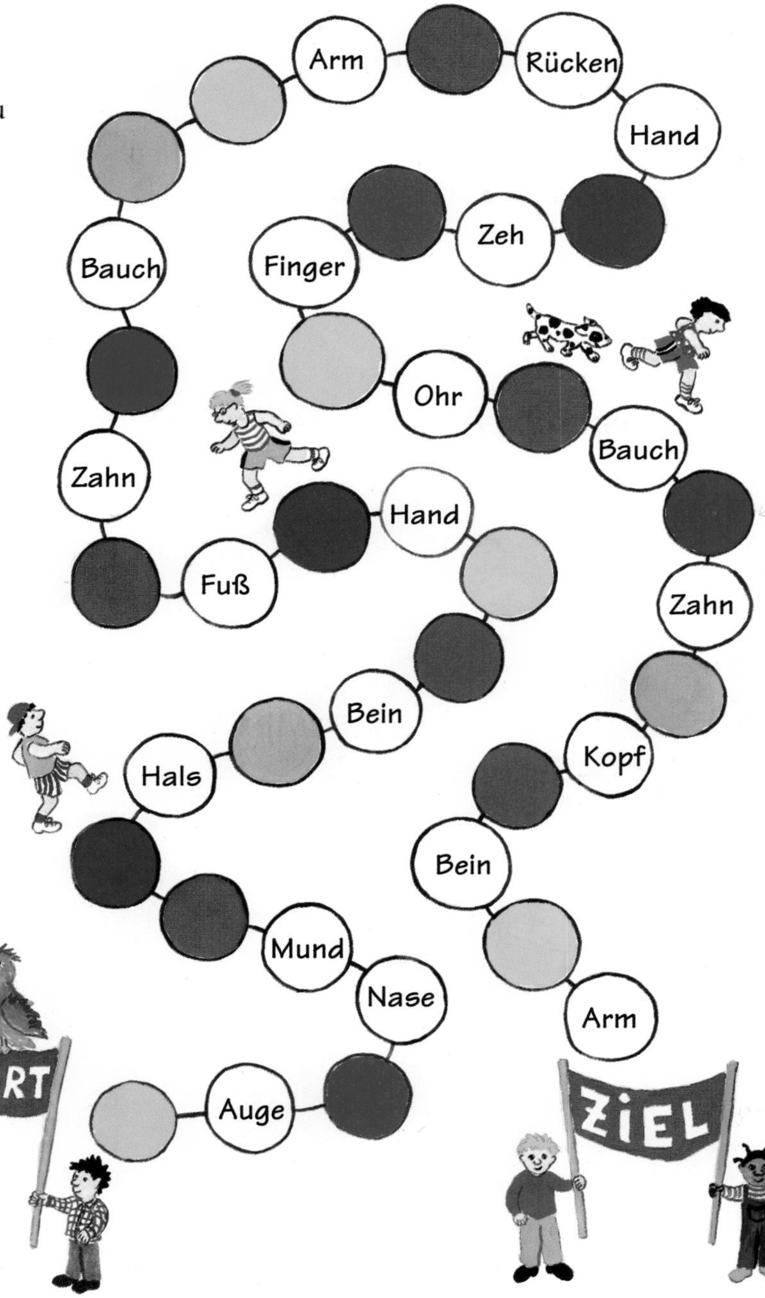
START
Auge
Nase
Mund
Hals
Bein
Hand
Fuß
Zahn
Bauch
Arm
Rücken
Hand
Zeh
Finger
Ohr
Bauch
Zahn
Kopf
Bein
Arm
ZIEL

7. *Hallo!*

Hallo, Steffi!
Komm, wir spielen Tennis.

Ach nein.

He, was ist denn los?

Meine Hand tut so weh.
Ich kann heute nicht Tennis spielen.

Schade. Möchtest du Memory spielen?

O ja, prima!

Ebenso mit: Fangen – Fuß – Domino, Verstecken – Bein – Lego, …

8. *Lesegeschichte: Aufstehen! Schule!*

Klaus! Aufstehen! Schule!
Ich kann heute nicht zur Schule gehen.
Was ist denn los?
Au! Au!
Tut dein Kopf weh?
Nein. Au!
Tut dein Hals weh?
Nein.
Ja, was tut denn weh?
Mein Zeh.

Spielt die Geschichte.
Wie geht die Geschichte weiter?

1. Bei Tassilo

Guten Tag.
Ist Tassilo da?

Ja. Aber er ist krank.

Oh.
Tassilo, schläfst du?

Nein, nein, ich lese.
Komm rein.

Was liest du denn da?

Momo.

Na, wie geht's?

Ach, mein Hals tut weh.

Was machst du denn
immer so?

Ich sehe fern, ich spiele
Gameboy, ich schlafe
oder ich …

Immer im Bett!
Wie langweilig!

Komm, wir spielen
Schwarzer Peter.

2. Spiel: Schwarzer Peter

a) Schreibt Kartenpaare.

Schläfst du? | Ja, ich schlafe.

Liest du? | Nein, ich lese nicht.

Spielst du? | Ja, ich spiele.

Turnst du? | Ja, ich turne.

Malst du? | Nein, ich male nicht.

Bastelst du? | Ja, ich bastle.

Siehst du fern? | Ja, ich sehe fern.

Schreibst du? | Nein, ich schreibe nicht.

Singst du? | Ja, ich singe.

Macht noch eine Karte:

Das ist der Schwarze Peter.
Er ist allein.

b) So geht das Spiel:
4–6 Kinder spielen zusammen. Man teilt alle Karten aus. Hast du ein Paar? Dann legst du es ab und liest vor. Du ziehst eine Karte von deinem rechten Mitspieler. Hast du ein Paar? Dann legst du es ab und liest vor. Der nächste ist dran.

Wer hat am Schluß den Schwarzen Peter?

1. Lied: Was möchtest du denn essen?

Alle: Was möchtest du denn essen?
Schoko oder Kuchen?
Was möchtest du denn essen?
Schoko oder Kuchen?
Einer: Schoko? Schoko? Kuchen? Kuchen?
Schoko? Kuchen? Schoko? Kuchen?
Ja! Ja! Ja!
Schoko schmeckt mir gut.
(Nein! Nein! Nein!
Ich habe keinen Hunger.)

Alle: Was möchtest du denn trinken?
Wasser oder Limo?
Was möchtest du denn trinken?
Wasser oder Limo?
Einer: Wasser? Wasser? Limo? Limo?
Wasser? Limo? Wasser? Limo?
Nein! Nein! Nein!
Ich habe keinen Durst.
(Ja! Ja! Ja!
Limo schmeckt mir gut.)

Saft

Kuchen

Wasser

Eis

Milch

Obst

Schoko
Schokolade
(Schoko)

LIMO
Limonade
(Limo)

2. Hunger und Durst

Tassilo, hast du Hunger?

Nein, aber ich habe Durst.
Ich möchte Saft.

Und du, Susi?
Saft oder Limonade?

Limo, bitte.

Und Kuchen?

Ja, gern.

Ich auch.

So, so.

Ebenso mit den Wörtern von oben.

3. *Ratespiel*

 Ich esse gern SIMSALABIM.

 Ißt du gern Kuchen?

 Nein.

 Ißt du gern Eis?

 Ja. Du bist dran.

 Ich trinke gern SIMSALABIM.

 Trinkst du gern Limo?

 …

4. *Lied: Und mein Bauch tut dann so weh!*

Ich be - kom - me im - mer Hun - ger, wenn ich Scho - ko - la - de seh'.
Und dann ess' ich, bis ich plat - ze, und dann ess' ich, bis ich plat - ze,
bis ich plat - ze. Und mein Bauch tut dann so weh!

Ich bekomme immer Durst,
wenn ich Limonade seh'.
Und dann trink' ich, bis ich platze,
und dann trink' ich, bis ich platze,
bis ich platze.
Und mein Bauch tut dann so weh!

SCHO
OLADE
SCH
SCHOKO
SCHOKO
SCHOKO
KOLAD
SCHO

Verkleiden

1. Die alte Kiste

a) Hör zu und schau das Bild an.

b) Hör zu und zeig auf dem Bild mit.

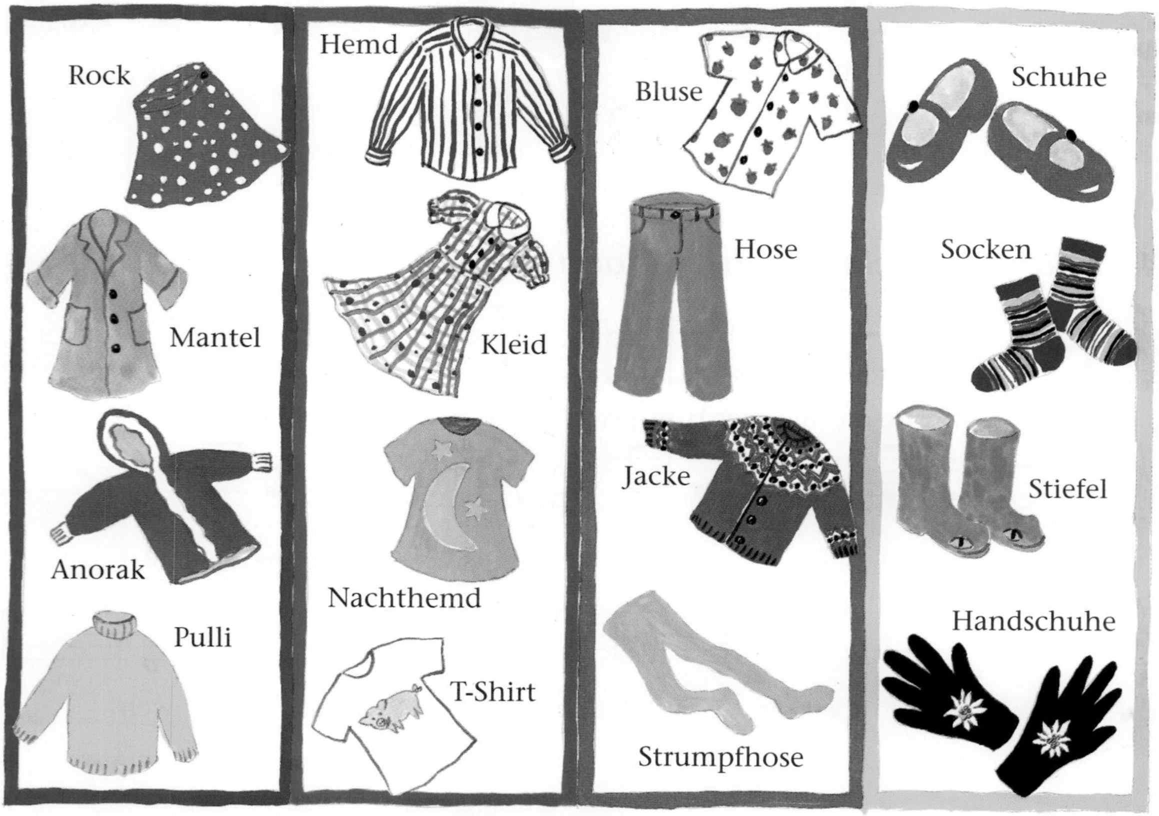
Rock
Mantel
Anorak
Pulli
Hemd
Kleid
Nachthemd
T-Shirt
Bluse
Hose
Jacke
Strumpfhose
Schuhe
Socken
Stiefel
Handschuhe

2. Hören

Wer hat das an? Steh auf!

3. Nachsprechen

Hör zu, zeig auf die Bilder und sprich genau nach.

1. So viele Sachen

 Oh, sieh mal! So viele Sachen!
Komm, wir spielen Verkleiden.

 Au ja.

 Was möchtest du denn?

 Ich möchte den Rock und die Bluse.

 Und ich möchte das Hemd
und die Schuhe.

Ebenso mit: Mantel, Hose …

2. Spiel: Quartett

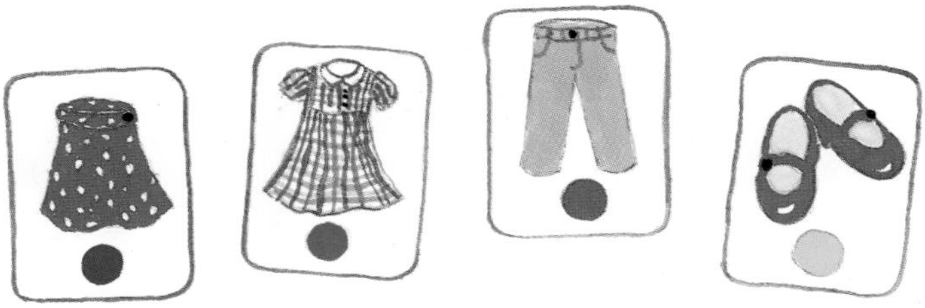

a) Macht Bildkarten
und malt die Punkte.

b) So geht das Spiel:
Mischt die Karten. Vier Kinder spielen zusammen. Jedes Kind bekommt vier Karten.

Claudia,
ich möchte den Pulli.
Hier bitte. Du bist noch
mal dran.
Martin,
ich möchte den Rock.
Tut mir leid.
Jetzt bin ich dran.

Wer hat die meisten Quartette? Ein Quartett ist:

- Rock, Mantel, Anorak, Pulli
- Hemd, Kleid, Nachthemd, T-Shirt
- Bluse, Hose, Jacke, Strumpfhose
- Schuhe, Socken, Stiefel, Handschuhe

3. Wir spielen Memory

a) Schreibt Wortkarten zu den Bildkarten und macht Punkte.

b) Spielt Memory mit den Wortkarten und den Bildkarten.

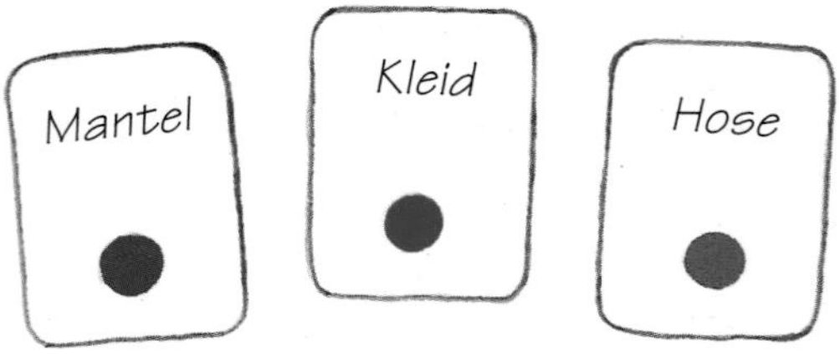
Mantel
Kleid
Hose

4. Hörgeschichte

Alle Kinder stehen im Kreis. Immer zwei Kinder gegenüber haben die passende Bildkarte und Wortkarte.

Hör die Geschichte. Hörst du dein Wort? Dann mußt du mit dem anderen Kind den Platz tauschen.

Hose
Kleid

Kleid

5. Spiel: Kofferpacken

So geht das Spiel:

Das erste Kind sagt: *Ich möchte die Hose.*

Das zweite Kind sagt: *Ich möchte die Hose und den Pulli.*

Das dritte Kind sagt: *Ich möchte die Hose, den Pulli und das Hemd.*

Das vierte Kind sagt: ...

6. *Spiel: Blau, grün, rot oder gelb?*

Nimm die Handschuhe.
Blau, grün, rot oder gelb?

Gelb.

Richtig.

7. *Ratespiel*

Ich habe die SIMSALABIM.

Hast du die Bluse?

Nein.

Hast du die Handschuhe?

Nein, rot!

Ach ja. Hast du die Hose?

Ja, richtig. Du bist dran.

1. Abzählreime

Eins, zwei, drei.
Du …

Eins, zwei, drei.
Du bist dran.
Zieh doch mal den Mantel an.

Eins, zwei, drei.
Du bist raus.
Zieh sofort den Mantel aus.

2. Lied

Hal - lo, Su - si, du bist dran. Zieh doch mal den Man - tel an.
Und setz auch die Müt - ze auf. Und jetzt lauf!

Alle rufen: 1 und 2, lauf, lauf lauf!
3 und 4, lauf, lauf, lauf!
5 und 6, …
Susi: Angekommen!

Alle singen: Hallo, Tassilo, du bist dran.
Zieh doch mal die Jacke an.
Und setz auch den Hut auf.
Und jetzt lauf!
Alle rufen: 1 und 2, lauf, lauf, lauf!
3 und 4, …
Tassilo: Angekommen!

3. Hören

Hör zu und mach mit.

4. So ein Quatsch!

Zieh den Hut an.
Setz die Hose auf.
Setz die Schuhe auf.
Zieh die Mütze an.
Setz das Hemd auf.
Zieh die Brille an.

a) Mach die Sätze richtig.

b) Mach Quatschsätze. Du sagst die Sätze. Und dein Partner malt.

Setz die Stiefel auf.

1. Lied: Wir spielen Verkleiden

Komm, wir spie - len Ver - klei - den. Spielst du mit?
Spielst du mit? Komm, wir spie - len Ver - klei - den.
Ja, ich ma - che mit. So vie - le Sa - chen. Ich
möch - te Kö - nig sein. Ich brau - che die Kro - ne. Ja, das ist
fein. Ich brau - che die Kro - ne. Ich möch - te Kö - nig sein.

Ich möchte … sein.

König

Gespenst

Königin

Kasperl

Hexe

Zauberer

Großmutter

Ich brauche
den … das … die…

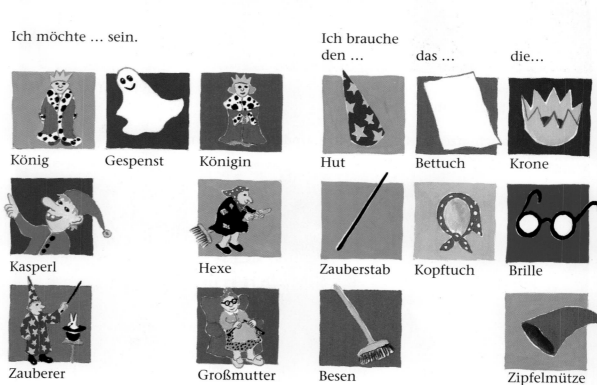

Hut

Bettuch

Krone

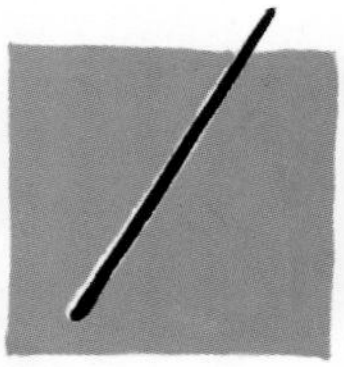
Zauberstab

Kopftuch

Brille

Besen

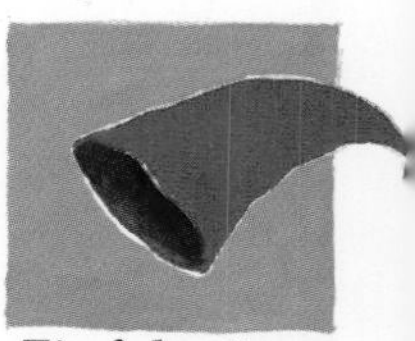
Zipfelmütze

2. Nachsprechen

Hör zu, zeig auf die Bilder unter dem Lied und sprich genau nach.

3. Hören

Hör zu und sprich die Antworten laut.

4. Wir basteln Theatersachen

a) Krone

Goldpapier falten

Zacken ausschneiden

Klebi

zusammenkleben

b) Zauberhut

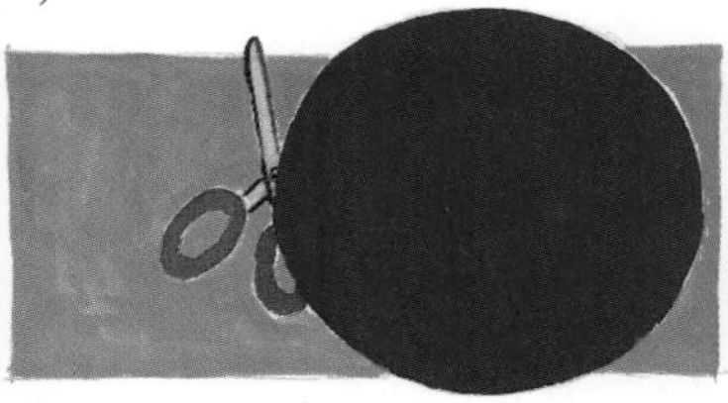

einen großen Kreis ausschneiden

bis zur Mitte einschneiden

zusammenkleben und Sterne aufkleben

5. Ich möchte König sein

 Komm, wir spielen Theater.

 Prima!
Ich möchte König sein.

 Hier! Zieh doch mal den Mantel an.

 Ja. Und ich brauche auch die Krone.

 Oh, das sieht aber toll aus!

Ebenso mit: Königin, Kasperl, Zauberer, …

6. *Wir spielen Theater: Das Gespenst Huiwui*

a) Hör die Geschichte und lies still mit.

A

Hu, hu, hu!

Was ist denn das?

Hu, hu!

Hallo! Wer bist du denn?

Ich bin das Gespenst Huiwui. Hu! Hu!

B

Was ist denn los?

Ach, mein Hals tut so weh.
Und ich kann nicht mehr hui-hui machen.

Ja und?

Ich bin doch das Gespenst Huiwui!

C

Ach so.

Ach ja.

Ich weiß!
Zauberer! Zauberer! Komm bitte!
Das Gespenst Huiwui kann nicht mehr hui machen.

Ich komme sofort.
Also, Huiwui, was ist denn los?

Ach, mein Hals tut so weh. Ich kann nicht mehr hui machen.

Hokus, pokus, fidibus! Dein Hals tut nicht mehr weh.

Hui, hui, hui! Danke, Zauberer, danke!

b) Ordne die Bilder. Schreib die Buchstaben auf den Block.

c) Spielt die Geschichte.

7. Wir spielen Theater: Der Zauberer Naseweis

Hokus, pokus, fidibus. Und du bist …

Was denn?

Hokus, pokus, fidibus. Und du bist …
Ja, was ist denn heute los?

Tut dein Kopf weh?

Ach was! So ein Quatsch!

Kasperl! Kasperl!

Ja?

Ach, da bist du ja.

Nein, nicht den Bleistift und das Heft.

Ach so. Den Zauberstab und das Buch.
Hier bitte.

Ich bin der Zauberer Naseweis.
Ich möchte zaubern.
Wo ist denn Kasperl?
Er ist nicht da.

Kasperl, ich möchte zaubern.
Gib mir bitte den Zauberstab und das Buch.

Hier bitte.

a) Lies die Texte.

b) Ordne die Geschichte.

c) Spielt die Geschichte.

8. *Wir spielen Theater: Die Hexe Ohnezahn*

a) Lies die Geschichte.
Wer sagt was? Eine Person fehlt.
Mach die Geschichte fertig.

Komm, wir spielen.

…

Domino.

…

Oder Memory?

…

Also los.

Guten Tag.

…

Ich bin die Hexe Ohnezahn.
Und du?

…

Was macht ihr denn da?

…

Memory?

…

Mitspielen? Ich? So ein Quatsch!
Ich bin die Hexe Ohnezahn.
Ich spiele nicht.

b) Spielt die Geschichte.

Mein und dein

1. Wo ist denn ... ?

 Wo ist denn mein Füller?

 Hier.

 Ach, da ist er ja!
Danke.

Ebenso mit:

mein	mein	meine	meine
Füller Bleistift Malkasten Pinsel Block	Buch Heft Lineal Turnzeug	Schere Schultasche	Farbstifte Hefte Bücher
er	es	sie	sie

 Wo sind denn meine Farbstifte?

 Hier.

 Ach, da sind sie ja!
Danke.

2. Lied

1, 2, 3 und 4, 5, 6.
Wo ist denn mein Bleistift?
Er ist nicht hier.
Er ist nicht da.
Ach, da ist er ja!

7, 8, 9 und 10, 11, 12.
Wo ist denn mein Buch?
Es ist nicht hier.
Es ist nicht da.
Ach, da ist es ja!

13, 14, 15, 16.
Wo ist denn meine Schere?
Sie ist nicht hier.
Sie ist nicht da.
Ach, da ist sie ja!

17, 18, 19, 20.
Wo sind denn meine Stifte?
Sie sind nicht hier.
Sie sind nicht da.
Ach, da sind sie ja!

3. So ein Mist!

Wo ist denn mein Bleistift?
Wo ist denn nur mein Bleistift?
So ein Mist!

Was ist denn los?

Ich kann nicht schreiben.
Mein Bleistift ist weg.

Das gibt's doch nicht.

Ach, da ist er ja!

Na, also.

Ebenso mit:

Schultasche	–	zur Schule gehen
Schere	–	?
Buch	–	?
Malkasten	–	?
Heft	–	?
Turnzeug	–	?
Farbstifte	–	?

1. Spiel: Was ist das?

Was ist das?
Fühl mal.
Ein Spitzer.
Und das?
Das ist eine Schere.

2. Spiel: Zeichnen und Raten

Ein Kind zeichnet an der Tafel.

Was ist das?
Ein Bleistift.
Ein Pinsel.
Eine Schere!
Richtig.
Du bist dran.

3. Wie sind die Sachen?

Ein Bleistift ist lang  oder kurz. 

Ein Buch ist dick  oder dünn. 

Eine Tafel ist klein  oder groß. 

Und ein Farbstift? Ein Spitzer? Ein Radiergummi?
Ein Block? Ein Heft? Ein Lineal?
Eine Schere? Eine Schultasche? Eine Kreide?

4. *Spiel: Alle Vögel fliegen hoch*

Alle Kinder klopfen leise mit den Fingern auf den Tisch.

Ein Lineal ist lang.

Ist der Satz richtig?
Du hebst die Hand.

Ein Heft ist kurz.

Ist der Satz falsch?
Du klopfst weiter.

5. *Ratespiel*

Alle Kinder legen Schulsachen in die Schachteln.
Vorsicht! Blau, grün oder rot?

 Hier ist ein SIMSALABIM.
Es ist dünn.

 Ein Heft?

 Ja.

 Ist es grau?

 Ja.

 Das ist mein Heft.

 Richtig. Du bist dran.

6. Das ist mein Buchstabe

a) Hör zu und lies still mit.
Zu welchen Bildern passen die Sätze?

Mach mal auf!

Du auch.

Das ist mein Buchstabe.

Nein, das ist mein Buchstabe. Gib her!

Das ist ein e. Das ist mein Buchstabe.

So ein Quatsch!

O ja, das ist dein Buchstabe.

1

2

3

4

M in
Lesebuch
Me n
Lesebuch

b) Hör noch einmal zu.
So ist die Geschichte richtig.

7. Das Buchstabenspiel

Immer 4–6 Kinder spielen in einer Gruppe zusammen.
Jede Gruppe schreibt die gleichen Wörter auf Kärtchen.

d ü n n	d i c k	l a n g	k u r z	g r o ß	k l e i n

Alle Kärtchen zerschneiden und mischen.

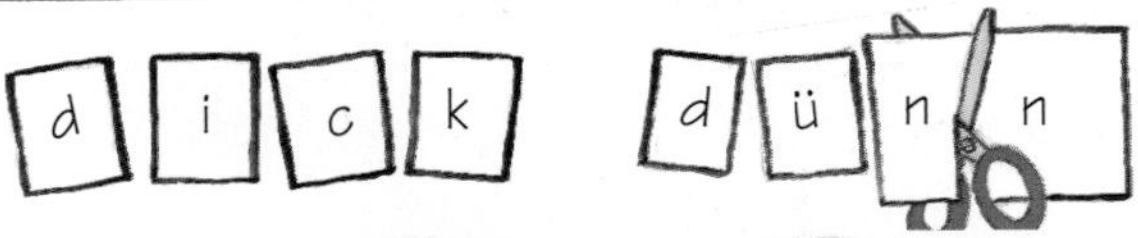
d i c k
d ü n n

Welche Gruppe findet das Wort am schnellsten?

kurz

1. Das ist meine ...!

Hier ist eine Mütze.

Gib her! Das ist meine Mütze.

Nein, das ist meine Mütze.

Deine Mütze ist doch blau.

Ja.

Und deine Mütze ist auch blau.

Ja.

Aber die Mütze ist schwarz.

Oh!
Oh!

Ebenso mit:

ein – mein der	ein – mein das	eine – meine die	— – meine die
Mantel Anorak Pulli	Turnhemd Hemd T-Shirt	Turnhose Jacke Bluse	Turnschuhe Socken Handschuhe

Oh!
Oh!

Hier sind Schuhe.

Gib her! Das sind meine Schuhe.

Nein, das sind meine Schuhe.

Deine Schuhe sind doch schwarz.

Ja.

Und deine Schuhe sind auch schwarz.

Ja.

Aber die Schuhe sind braun.

2. Kimspiel

Hängt die Karten des Quartettspiels „Kleidung“ so an die Tafel:

der
das
die
die

Alle Kinder machen die Augen zu. Ein Kind nimmt ein Bild weg. Augen auf!

Was ist weg?
Der Mantel ist weg.
Was ist weg?
Die Stiefel sind weg.

3. Hörgeschichte: Lena und Claudia

Hör zu und schau die Bilder an.

A

B

C

D

Hör noch einmal zu.
Ordne die Bilder. Schreib die Buchstaben auf den Block.

1. Lied: Das sind meine Spielsachen

Das sind mei - ne Spiel - sa - chen. Gib so - fort her!
Gib so - fort her! Das sind mei - ne Spiel - sa - chen. Gib so - fort
her! Ich ge - he jetzt nach Hau - se. Mit dir spiel' ich nicht
mehr. Ich ge - he jetzt nach Hau - se. Mit dir spiel' ich nicht mehr.
Ei - sen - bahn und Game - boy. Ted - dy - bär und Schiff.
Mein und dein und dein und mein. Ach, komm doch wie - der rein!
Mein und dein und dein und mein. Ich spiel' nicht gern al - lein.

2. Das sind meine Spielsachen.
Gib sofort her! …
 Puppenhaus und Baukasten, 
 Walkman und Spiel. 
Mein und dein …

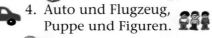

3. Das sind …
 Fahrrad und Rollschuhe, 
Springseil und Ball.  

4. Auto und Flugzeug,
Puppe und Figuren.  

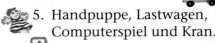

5. Handpuppe, Lastwagen,
Computerspiel und Kran.  

2. Hören

Hör zu und zeig auf die Bilder im Lied.

3. Nachsprechen

a) Hör zu, zeig auf die Wörter im Lied und sprich nach.

b) Hör zu, sprich nach und klatsch mit.

c) Hör zu und sprich genau nach.

4. Spiel: Wo ist …?

a) Macht Bildkarten und malt auch die Punkte (blau, grün, rot, gelb).

b) Das steht an der Tafel. Lest die Wörter genau.

der	das	die	die
Gameboy	Schiff	Eisenbahn	Rollschuhe
Teddybär	Puppenhaus	Puppe	Figuren
Baukasten	Spiel	Handpuppe	
Walkman	Fahrrad		
Ball	Springseil		
Lastwagen	Auto		
Kran	Flugzeug		
	Computerspiel		

c) Hängt die Bildkarten an die richtige Stelle, aber verdeckt! Du kannst die Bilder und die Wörter nicht mehr sehen.

d) So geht das Spiel:
Die Klasse spielt in zwei Gruppen.
Gruppe 1 fragt: *Wo ist der Teddybär?*
Ein Kind aus Gruppe 2 geht an die Tafel und zeigt: *Hier.* Ist das richtig?
Dann bekommt Gruppe 2 einen Punkt.
Nun fragt Gruppe 2: *Wo ist …?* oder *Wo sind …?*

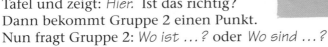

1. Der gehört mir!

Oh, der Ball ist aber schön.

Gib her! Das ist mein Ball.

Ich weiß. Darf ich mitspielen?

Nein! Der Ball gehört mir.

Du bist gemein.

Ebenso mit: Teddybär, Kran, Auto, Flugzeug, Eisenbahn, Puppe

2. Wir basteln Spielsachen

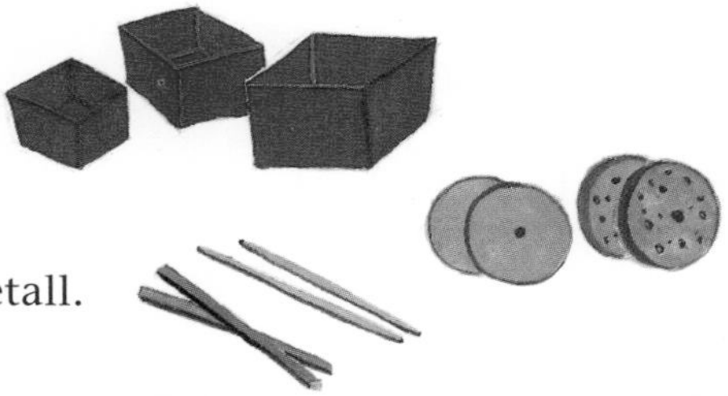

Ihr braucht kleine Schachteln,
runde Scheiben aus Pappe oder Kork
und zwei Stäbchen aus Holz oder Metall.
Beispiel: ein Auto

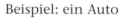

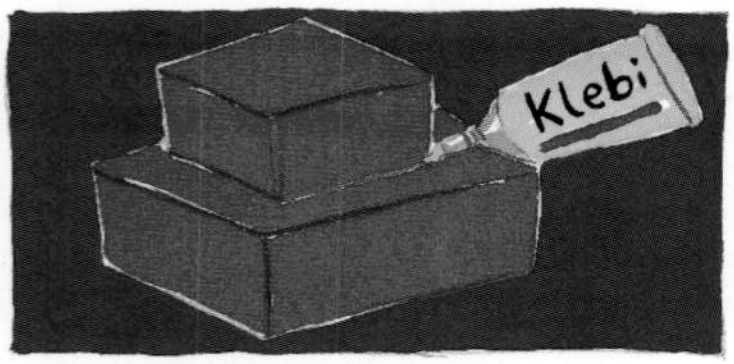
Klebi

zwei Schachteln aufeinanderkleben

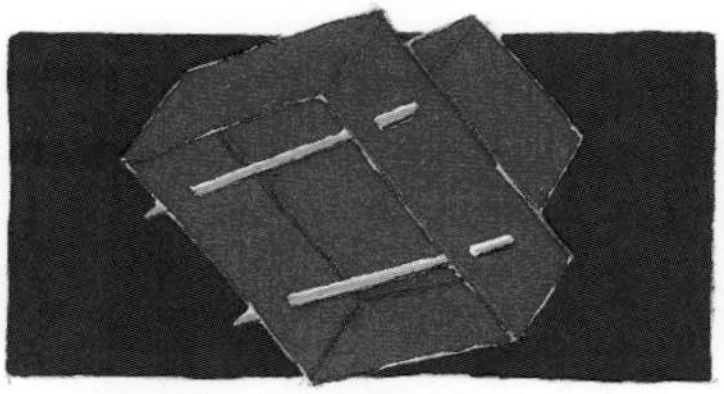

die Stäbchen durchstecken

die Räder festmachen

Ebenso: Lastwagen, Kran, Flugzeug, Eisenbahn

3. Ist das deine Puppe?

Ist das deine Puppe?

Nein.

Das ist doch deine Puppe.

Nein. Meine Puppe ist neu.
Und die Puppe ist alt.

neu – alt

Oder so:

sauber – schmutzig

ganz – kaputt

Ebenso mit: Lastwagen, Teddybär, Fahrrad, Spiel, Eisenbahn, Handpuppe

1. Lesegeschichte: Was machen denn die Spielsachen da?

Was ist denn hier los?
Die Spielsachen machen heute Quatsch.
Der Teddybär spielt Gitarre,
das Schiff singt,
und der Ball tanzt Rock 'n' Roll!
Und was macht das Auto?
Das Auto möchte ein Flugzeug sein
und fliegt. Und das Flugzeug?
Es hat die Schultasche.
Es möchte zur Schule gehen.
Wo ist denn der Kran? Ach, da ist er ja!
Er malt. Oh, das Haus ist aber schön!
Die Puppe turnt. Die Eisenbahn liest.
Die Handpuppe bastelt.
Nur der Gameboy möchte nicht
mitmachen. Er ist im Bett und sagt:
„Wie langweilig!“

Klebi

Lies die Geschichte.
Nun lies die Aufgabe.

Beispiel:

Er spielt Gitarre.	Das ist der Teddybär.
Es singt.	Das ist ...
Er tanzt.	
Es fliegt.	
Es möchte zur Schule gehen.	
Er malt.	
Sie turnt.	
Sie liest.	
Sie bastelt.	
Er macht nicht mit.	

2. Ratespiel: Was macht ... ?

Was macht Stefan?
Er liest.
Nein.
Er schreibt.
Richtig.
Du bist dran.

3. Interview-Spiel

a) Sammelt Wörter an der Tafel und schreibt Zahlen davor.

1 schreiben	4 rechnen	7 zeichnen	10 tanzen
2 lesen	5 singen	8 basteln	11 schlafen
3 spielen	6 malen	9 turnen	12 fliegen

b) So geht das Spiel:
Jedes Kind schreibt einen Satz auf ein Blatt. Beispiel: Ich lese.
Die anderen dürfen den Satz nicht sehen. Jetzt gehen alle Kinder mit dem Blatt und einem Bleistift in der Klasse herum und fragen.

Claudia, liest du?
Ich lese.
Ja.

Peter sucht die Nummer an der Tafel und schreibt: Claudia 2

Josef, schläfst du?
Ich turne.
Nein.

Peter darf nicht schreiben. Er muß andere Kinder fragen.

Wer als erster sechsmal „ja“ hat, ruft: *Ich bin fertig!*

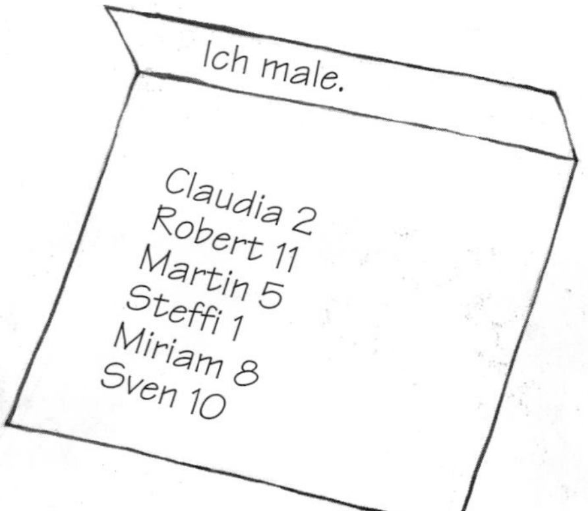
Ich male.
Claudia 2
Robert 11
Martin 5
Steffi 1
Miriam 8
Sven 10

Claudia liest.
Richtig.

Der Wolf und die Hexe

1. Wir zaubern

Hokus, pokus, ase!
Und du bist ein Hase!

a) Du bist die Hexe. Du kannst zaubern. Hör zu und mach die Zaubersprüche fertig.

Hokus, pokus, aus!
Du bist eine … !

Hokus, pokus, olf!
Und du bist ein … !

Hokus, pokus, uh!
Du bist eine … !

Maus

Löwe

Pferd

Wolf

Hund

Schlange

Kuh

Schaf

Katze

b) Spielt die Szene.

Hokus, pokus, uh!
Du bist eine Kuh!
Muh!

2. Wir singen den Zauberspruch

Ho - kus po - kus! Ho - kus po - kus! Ho - kus po - kus, aus! Und
du bist ei - ne Maus!

3. Wir spielen Memory

a) Schreibt Zaubersprüche auf Karten.

b) Spielt Memory.

Hokus, pokus, af!
Und du bist ein Schaf!

4. Spiel: Ich bin der Wolf, der böse Wolf

Wolf
Susi

Ein Kind ist der Wolf. Es sagt:
„Ich bin der Wolf, der böse Wolf. Ich habe Hunger. Ich möchte Susi fressen.“

Wolf
Susi

Alle Kinder machen um Susi einen Kreis. Wenn der Kreis zu ist, kann der Wolf Susi nicht fangen. Das Spiel fängt wieder von vorn an.

Wolf
Susi

Wenn der Wolf Susi gefangen hat, ist Susi der Wolf.

1. *Hörgeschichte*

a) Hör zu und schau die Bilder an.

A

B

C

D

E

F

b) Die Bilder sind nicht in der richtigen Reihenfolge.
Hör die Geschichte noch einmal. Wie sind die Bilder richtig?
Schreib die Buchstaben auf den Block.

2. Singspiel „Der Wolf und die Hexe"

a) Hör das Singspiel und schau die Bilder von **B 1** (Seite 71) an.

b) Hör das Singspiel noch einmal und lies still mit.

Der Wolf und die Hexe

Kasperl ist allein. Er möchte spielen.
Aber da ist der Wolf, der böse Wolf!
„Ha, ha, ha, ich bin der Wolf, der böse Wolf!
Ich habe Hunger! Ich habe Hunger!
Wo ist der Hase Hoppel? Ich möchte Hoppel fressen.
Ich verstecke mich und warte."

O weh, o Graus, o weh, o Graus! Wie
geht das Spiel wohl aus? Wie geht das Spiel wohl aus? O Graus!

Da kommt Kasperl, und da kommt Hoppel.
„Hallo Hoppel! Möchtest du spielen?"
„Au ja! Komm, wir spielen Verstecken. Du suchst."
Tip, tap, tip, tap, tip, tap …
Oh! Der Wolf hat Hoppel gefangen!
Da kommt der Rabe Krakra. „Was ist denn hier los?
Oh! Der Wolf hat Hoppel gefangen!"

O weh, o Graus, o weh, o Graus! Wie
geht das Spiel wohl aus? Wie geht das Spiel wohl aus? O Graus!

Kasperl und Krakra gehen zur Hexe Hutschibutscl
Tok, tok, tok!
„Wer ist denn da? Ich möchte schlafen.“
Tok, tok, tok!
„Ach, du bist’s, Kasperl. Was ist denn los?“
„Hilfe, Hilfe! Der Wolf hat Hoppel gefangen.
Schnell! Schnell!“

O weh, o Graus, o weh, o Graus! Wie
geht das Spiel wohl aus? Wie geht das Spiel wohl aus? O Graus!

Kasperl, die Hexe und Krakra suchen den Wolf.
Kasperl hat Angst.
„Ha, ha, ha, ich bin der Wolf, der böse Wolf!
Ah, da kommt Kasperl!
Mmmh, ich möchte Kasperl fressen.
O nein, o nein, die Hexe! Hilfe, Hilfe, die Hexe!“

Ho - kus po - kus! Ho - kus po - kus! Ho - kus po - kus, aus! Und
du bist ei - ne Maus!

Wir sind froh und tan - zen, tra - la - la - la - la!
Wir sind froh und tan - zen, tra - la - la - la - la! Wir tan - zen,
tan - zen, tra - la - la - la - la! Wir tan - zen, tan - zen,
tra - la - la - la - la! Der Ha - se lebt, der
Wolf ist weg, der
Ha - se lebt. Der Wolf ist nicht mehr da! Der Ha - se lebt, der
Wolf ist weg, der Wolf ist ei - ne Maus! Der Wolf ist weg, der
1. 2.
Ha - se lebt. Der Wolf ist nicht mehr da! Der
Wolf ist weg, der Wolf ist ei - ne Maus! Maus! Maus! Maus!
Pause
Maus! Maus! Maus! Maus! Und das Spiel ist aus! Wir
tan - zen, tan - zen, tra - la - la - la - la! Wir
tan - zen, tan - zen, tra - la - la - la - la!

c) Lest die Geschichte vor. Ihr braucht einen Erzähler, den Wolf, Kasperl, Hoppel, Krakra und die Hexe. Und die ganze Klasse singt die Lieder.

3. Nachsprechen

Hör zu und sprich genau nach.

4. Wir basteln Tiermasken

Klebi

buntes Papier vorbereiten:
für den Wolf – grau,
für den Hasen – hellbraun,
für den Raben – schwarz

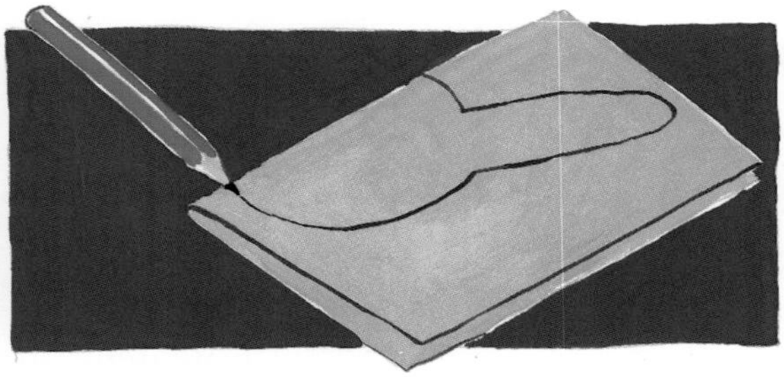

das Blatt in der Mitte zusammenfalten
und den halben Kopf aufzeichnen,
bei Wolf und Hase die Ohren nicht
vergessen

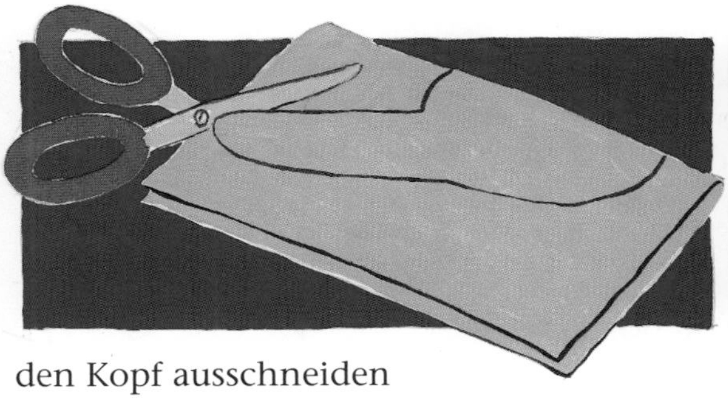

den Kopf ausschneiden

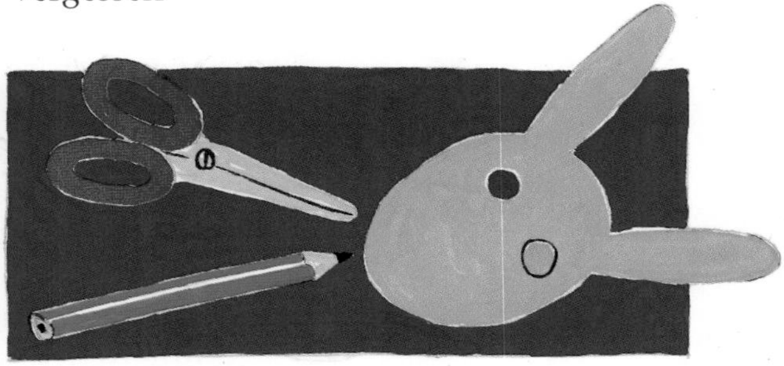

die Augen ausschneiden

das Maul aufzeichnen oder
den Schnabel aufkleben

auf jeder Seite zwei Löcher machen
und ein Gummiband festmachen

5. Wir spielen Theater

Der Wolf, der Hase und der Rabe setzen die Masken auf.
Die Hexe braucht Kopftuch und Stock.
Kasperl braucht die Zipfelmütze.
Die anderen Kinder sind die Bäume im Wald und singen.

6. Würfelspiel

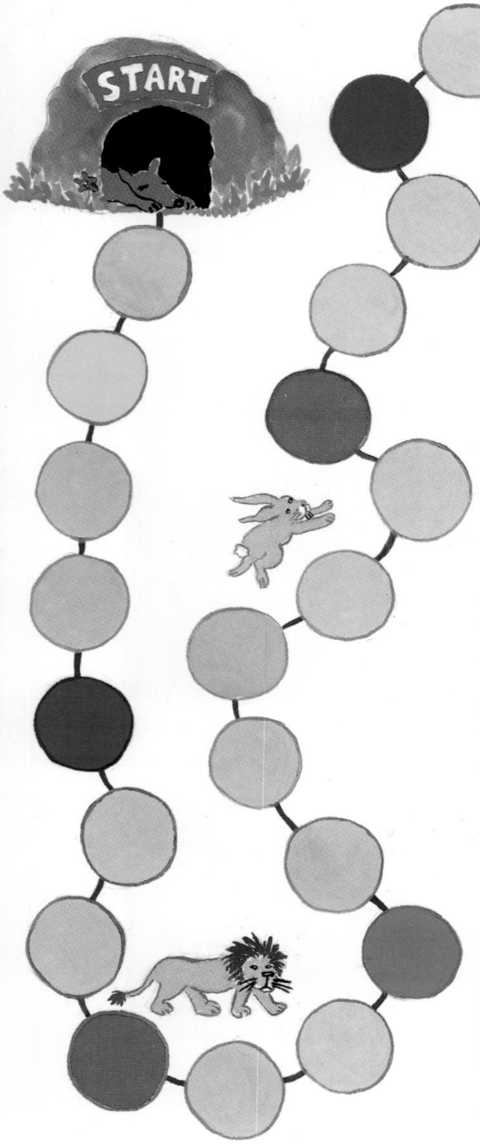
START

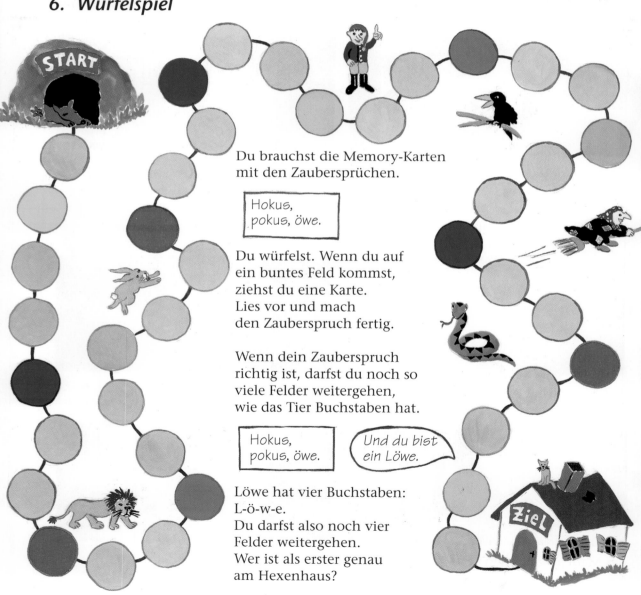

Du brauchst die Memory-Karten mit den Zaubersprüchen.

Hokus,
pokus, öwe.

Du würfelst. Wenn du auf ein buntes Feld kommst, ziehst du eine Karte.
Lies vor und mach den Zauberspruch fertig.

Wenn dein Zauberspruch richtig ist, darfst du noch so viele Felder weitergehen, wie das Tier Buchstaben hat.

Hokus,
pokus, öwe.

Und du bist
ein Löwe.

Löwe hat vier Buchstaben:
L-ö-w-e.
Du darfst also noch vier Felder weitergehen.
Wer ist als erster genau am Hexenhaus?

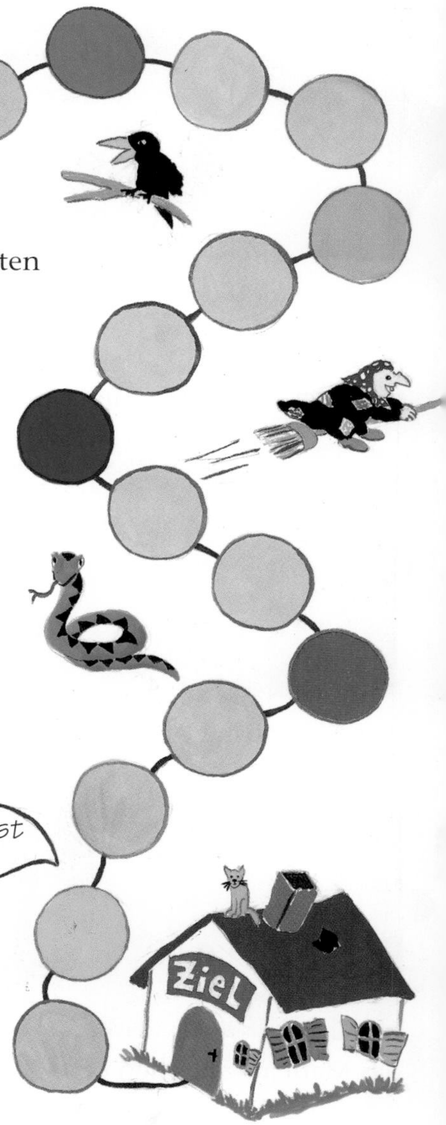
ZIEL

Jahreszeiten und Feste

Die vier Jahreszeiten

Frühling
Sommer
Herbst
Winter

Es war ei - ne Mut - ter, die hat - te vier Kin - der: den
Früh - ling, den Som - mer, den Herbst und den Win - ter. Der
Früh - ling bringt Blu - men, der Som - mer den Klee. Der
Herbst, der bringt Trau - ben, der Win - ter den Schnee.

Sankt Martin

1. Lied: Ich geh' mit meiner Laterne

Ich geh' mit mei - ner La - ter - ne und
Dort o - ben leuch-ten die Ster - ne und
mei - ne La - ter - ne mit mir. Der Hahn, der kräht, die
un - ten, da leuch - ten wir.
Katz' mi-aut. Ra - bim - mel, ra - bam-mel, ra - bum.

Ich geh' mit meiner Laterne
und meine Laterne mit mir.
Dort oben leuchten die Sterne
und unten, da leuchten wir.
Der Martinsmann, der zieht voran.
Rabimmel, rabammel, rabum.

Ich geh' mit meiner Laterne
und meine Laterne mit mir.
Dort oben leuchten die Sterne
und unten, da leuchten wir.
Mein Licht geht aus, wir geh'n nach Haus.
Rabimmel, rabammel, rabum.

2. *Wir basteln eine Laterne*

Material: eine runde, große Käseschachtel

oder zwei gleich große Kartondeckel

zwei Streifen fester Karton

ein langer Streifen Transparentpapier

und kleine bunte Stücke Transparentpapier

ein Teelicht oder eine dicke Kerze

ein Stock aus Holz mit einem Nagel

ein langes Stück Draht

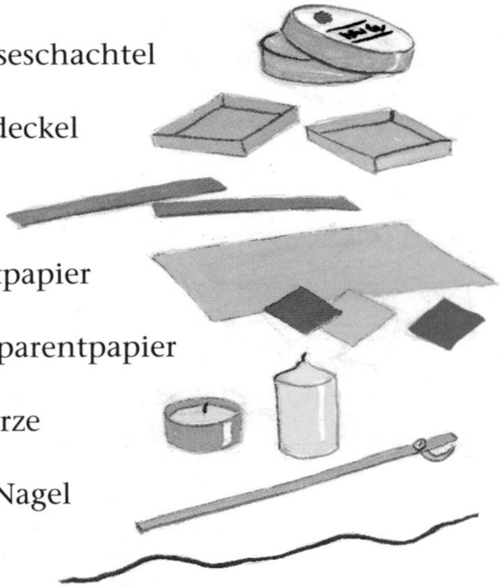

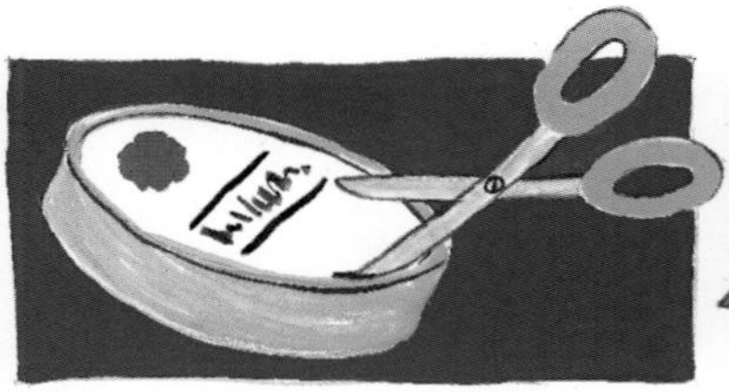

aus dem Deckel
ein Loch ausschneiden

Klebi

zwei Kartonstreifen
in den Boden kleben

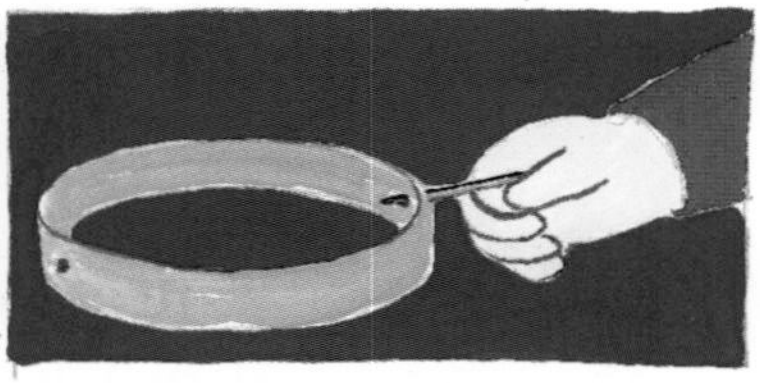

zwei Löcher in den
Deckel machen

Klebi

den Deckel ankleben

Klebi

auf das große Papier
Sterne aus buntem
Transparentpapier kleben

Klebi

das Papier ankleben

in den zwei Löchern
den Draht festmachen

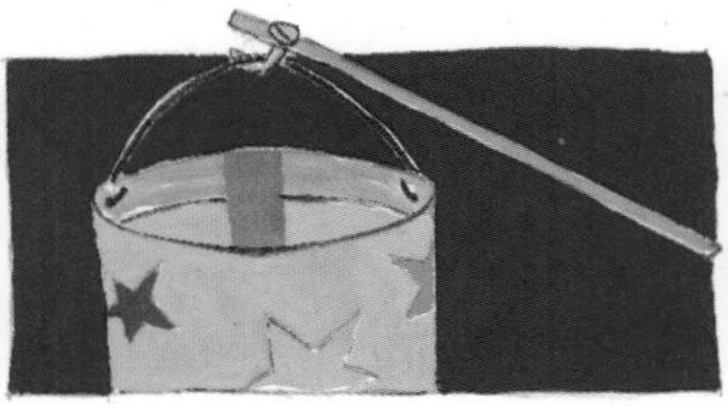

den Draht am Stock
festmachen

Klebi

das Teelicht am
Boden festkleben

Nikolaus

1. Lied: Hört doch in den Stuben

Hört doch in den Stu - ben, die
Mäd-chen und die Bu - ben!
Nik - laus, Nik - laus,
komm in un - ser Haus.

Tu uns nicht erschrecken!
Ach, laß die Rute stecken!
Niklaus, Niklaus, komm in unser Haus.

Bring für uns ein Püppchen!
Wir essen auch das Süppchen.
Niklaus, Niklaus, komm in unser Haus.

Laß die Nüsse springen!
Wir danken dir mit Singen.
Niklaus, Niklaus, komm in unser Haus.

Niklaus, Niklaus,
komm in unser Haus.

2. Wir basteln einen Nikolaus

Material:

ein Apfel 

ein Zahnstocher 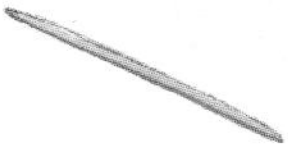

eine Walnuß 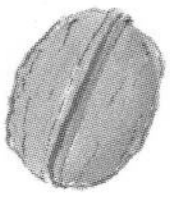

Watte 

rotes Papier 

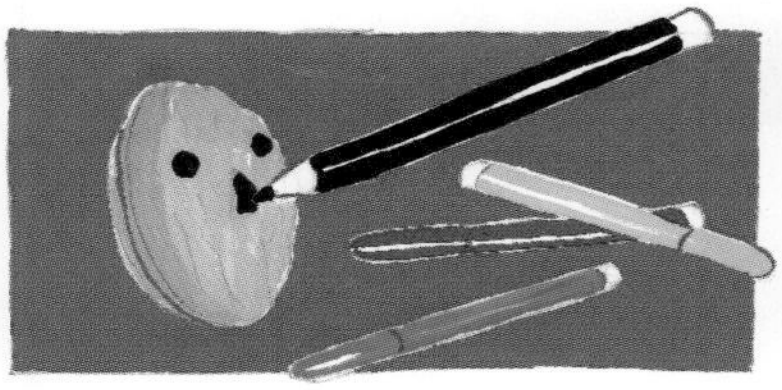

ein Gesicht auf die Nuß zeichnen

den Zahnstocher unten in die Nuß stecken

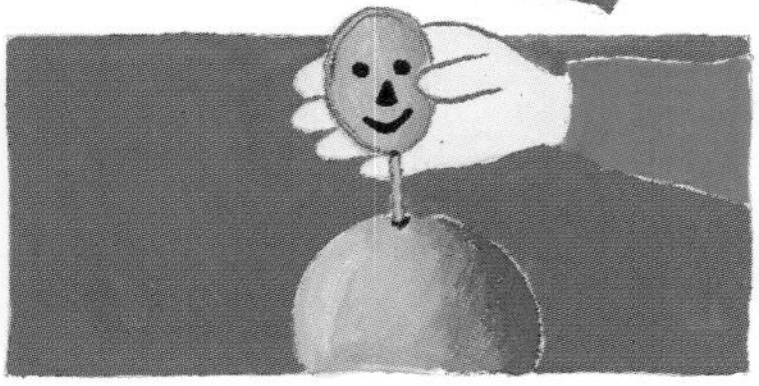

den Zahnstocher mit der Nuß in den Apfel stecken

Klebi

einen Bart aus Watte auf das Gesicht kleben

aus dem roten Papier einen spitzen Hut machen

Klebi

den Hut auf die Nuß kleben

3. Der Nikolaus kommt

Advent und Weihnachten

1. Adventskalender

Im Dezember hat jedes Kind einen Adventskalender. Der Kalender hat 24 Türen. Jeden Tag darf das Kind eine Tür aufmachen.

2. Wir basteln einen Adventskalender

Material:

buntes Papier

24 leere Streichholzschachteln

ein Band

ein langer Papierstreifen

Klebi

die Streichholzschachteln mit buntem Papier bekleben

Klebi

die Schachteln bemalen oder bekleben

auf die Schachteln Zahlen von 1 bis 24 schreiben

die Schachteln auf den Papierstreifen kleben

Klebi

das Band oben an den Papierstreifen ankleben

Die Mutter legt etwas in jede Schachtel: ein Stück Schokolade, einen Keks, ein kleines Bild, …

Und du darfst jeden Tag eine Schachtel aufmachen.

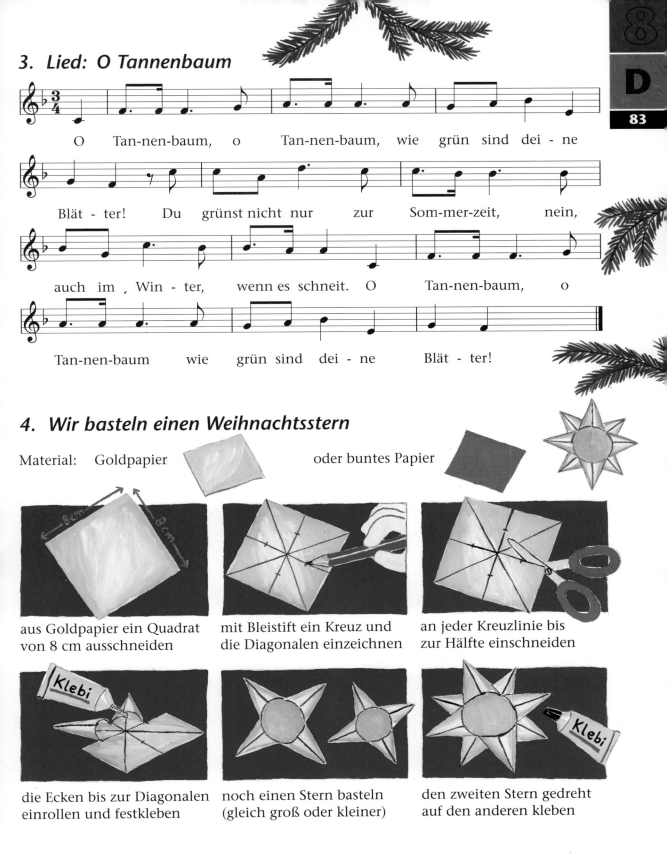

3. Lied: O Tannenbaum

O Tan-nen-baum, o Tan-nen-baum, wie grün sind dei - ne
Blät - ter! Du grünst nicht nur zur Som-mer-zeit, nein,
auch im Win - ter, wenn es schneit. O Tan-nen-baum, o
Tan-nen-baum wie grün sind dei - ne Blät - ter!

4. Wir basteln einen Weihnachtsstern

Material: Goldpapier  oder buntes Papier 

8 cm
8 cm

aus Goldpapier ein Quadrat von 8 cm ausschneiden

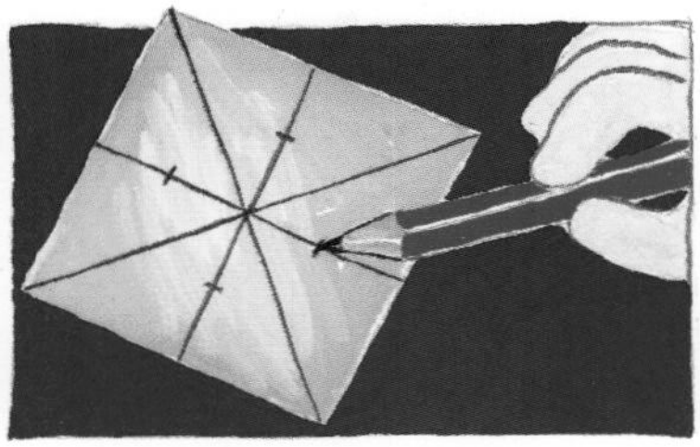

mit Bleistift ein Kreuz und die Diagonalen einzeichnen

an jeder Kreuzlinie bis zur Hälfte einschneiden

Klebi

die Ecken bis zur Diagonalen einrollen und festkleben

noch einen Stern basteln (gleich groß oder kleiner)

Klebi

den zweiten Stern gedreht auf den anderen kleben

5. Lied: Kling, Glöckchen

Kling, Glöck-chen, klin-ge - lin - ge - ling! Kling, Glöck-chen, kling!
Macht mir auf, ihr Kin - der, 's ist so kalt der Win - ter.
Öff - net mir die Tür - en, laßt mich nicht er - frie - ren.
Kling, Glöck-chen, klin-ge - lin - ge - ling! Kling, Glöck-chen, kling!

6. Wir basteln eine Weihnachtskarte

ein buntes Papier falten
und den Rand verzieren

einen Stern aufkleben

Frohe Weihnachten

den Rand der
Innenseite verzieren und
Frohe Weihnachten
schreiben

7. Lied: Morgen, Kinder, wird's was geben

Mor - gen, Kin - der, wird's was ge - ben.
Mor - gen wer - den wir uns freu'n.
Welch ein Ju - bel, welch ein Le - ben
wird in un - serm Hau - se sein!
Ein - mal wer - den wir noch wach,
hei - ßa, dann ist Weih - nachts - tag.

Karneval – Fasching

1. Wir feiern Karneval

2. *Wir basteln eine Maske*

Material:
ein Pappteller 

Wolle 

zwei Gummis 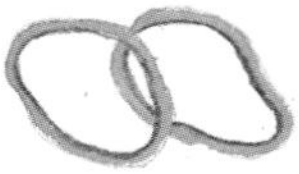

Klebi

auf einen Pappteller
ein Gesicht aufmalen
und Haare aufkleben

die Augen und die
Nase ausschneiden

an den Seiten Löcher
machen und die Gummis
festmachen

Ostern

1. Wir suchen Ostereier

2. Wir basteln einen Osterhasen

Material: ein ausgeblasenes braunes Ei  braunes Papier 

am Ei oben und unten ein Loch machen und das Ei ausblasen

auf das Ei ein Hasengesicht malen

Klebi

aus braunem Papier Ohren ausschneiden und ankleben und einen Ring als Hals machen